O poder da amizade

O poder da amizade
A resposta para um mundo de solidão e discórdia

JOHN M. PERKINS
com KAREN WADDLES

Traduzido por Celso Rimoli

Copyright © 2019 por John M. Perkins
Publicado originalmente por Moody Publishers,
Chicago, Illinois, EUA.

Os textos bíblicos foram extraídos da *Nova Versão Transformadora* (NVT), da Tyndale House Foundation, salvo indicação específica.

Todos os direitos reservados e protegidos pela Lei 9.610, de 19/02/1998.

É expressamente proibida a reprodução total ou parcial deste livro, por quaisquer meios (eletrônicos, mecânicos, fotográficos, gravação e outros), sem prévia autorização, por escrito, da editora.

Edição
Daniel Faria

Revisão
Natália Custódio

Produção
Felipe Marques

Projeto e diagramação
Marina Timm

Colaboração
Ana Luiza Ferreira

Capa
Douglas Lucas

CIP-Brasil. Catalogação na publicação
Sindicato Nacional dos Editores de Livros, RJ

P526p

Perkins, John M., 1930-
   O poder da amizade : a resposta para um mundo de solidão e discórdia / John M. Perkins, Karen Waddles ; tradução Celso Rimoli. - 1. ed. - São Paulo : Mundo Cristão, 2022.
   176 p.

   Tradução de: He calls me friend
   ISBN 978-65-5988-050-8

   1. Amizade - Aspectos religiosos - Cristianismo. 2. Deus - Miscelânea. 3. Amor - Aspectos religiosos - Cristianismo. 4. Vida espiritual. I. Waddles, Karen. II. Rimoli, Celso. III. Título.

21-74099   CDD: 241.6762
                                 CDU: 27-444.2

Categoria: Inspiração
1ª edição: fevereiro de 2022

Publicado no Brasil com todos os direitos reservados por:

Editora Mundo Cristão
Rua Antônio Carlos Tacconi, 69
São Paulo, SP, Brasil
CEP 04810-020
Telefone: (11) 2127-4147
www.mundocristao.com.br

Ao meu Amigo Eterno e a cada amigo que caminhou comigo desde que entrei no reino, há mais de sessenta anos. Àqueles a quem Deus usou para me fortalecer em minha dor, para me dar esperança quando eu não tinha nenhuma e para me encorajar a seguir em frente: não haveria tempo ou espaço suficiente para nomear cada um de vocês, pois nossa amizade é tão preciosa que não ouso arriscar esquecer ou ofender ninguém. Para todos e cada um de vocês, obrigado por estarem ao meu lado na jornada da vida...
obrigado por serem amigos.

Sumário

Prólogo   9
Introdução   13

PARTE 1: AMIZADE COM DEUS PAI

1. O Cão de Caça do Céu   27
2. O Deus íntimo e santo   41
3. O Deus do perdão   55

> Vamos ouvir Ken Smith: 66
> "Amizade é para sempre"

PARTE 2: AMIZADE COM JESUS

4. O Deus que veio a nós   73
5. Amigo de prostitutas, ladrões e marginalizados   85

> Vamos ouvir Randy e Joan Nabors: 95
> "Amizade é tolerante"

PARTE 3: AMIZADE COM O ESPÍRITO SANTO

6. O Deus que habita em nós   101
7. O fruto da amizade   113

> Vamos ouvir Wayne Gordon: 128
> "Amizade significa ir fundo"

PARTE 4: AMIZADE COM OS OUTROS

8. Superando barreiras 133

9. O desafio da amizade 145

   Vamos ouvir Phillip Perkins: 155
   "Meu pai, meu amigo"

Conclusão 159

Para pensar e trocar ideias 165

Agradecimentos 170

Notas 171

Prólogo

Nunca me esquecerei da primeira vez que encontrei o Dr. John Perkins. Ele irradia o amor de Jesus e tem um sorriso que ilumina o recinto. Se você o conhece, sabe o que quero dizer. Ele é magnético. Nós o convidamos para falar à nossa comunidade há alguns anos, a fim de receber sua ajuda, seus conselhos e sua sabedoria adquiridos ao longo de toda uma vida enfrentando os efeitos devastadores do racismo. Queríamos nos engajar mais do que nunca na abordagem às questões da reconciliação racial nos Estados Unidos e descobrir como poderíamos ser parte da solução. Eu não tinha ideia de onde estava me metendo. Junto com nossa comunidade sentei-me para conversar com o Dr. Perkins, e ele nos deixou mais que impressionados. Todos nós saímos transformados de lá naquele dia. Ele e eu nos tornamos amigos chegados e, como se diz, o resto é história.

Agora sei que o trabalho de qualquer bom entrevistador é fazer a lição de casa, mas confesso com humildade que só tive tempo de folhear rapidamente seu livro mais recente à época. Na pressa de cumprir as agendas e de levá-lo até lá, não consegui obter muitos detalhes sobre sua história. Então, quando ele se sentou comigo para conversar, eu estava despreparado em vários aspectos. Quanto mais ele falava, menos precisava das minhas perguntas, porque tudo o que eu queria era ouvir mais e mais. Senti várias coisas naquele dia: indignação, incredulidade, compaixão e um amor imenso pelo Dr. Perkins. Ele compartilhou sua vida conosco por meio de histórias: de sua mãe, que faleceu devido à pobreza extrema, de como seu irmão foi brutalmente assassinado por um policial branco, de como Deus transformou sua raiva em ativismo e no que são agora uma vida e um legado inigualáveis de fé indescritível. Não dava para acreditar como ele se expressava tão abertamente e com tanta força, humildade e graça. Ele generosamente compartilhou sua vida conosco, completos estranhos. Mesmo entre lágrimas, sua presença me encheu de esperança. Fui desconstruído, mas revigorado.

O Dr. Perkins escreveu este livro, *O poder da amizade*, com tanta beleza e autenticidade porque o deixou bem simples. Ele escolheu conhecer a Deus e torná-lo conhecido. Escolheu receber a amizade de Deus, como um apóstolo João da atualidade, o autoproclamado "discípulo que Jesus amava". Mais precisamente, ele escolheu abraçar por completo a Deus Pai, seu Filho Jesus e o Espírito Santo. E o Dr. Perkins testemunhou ao longo de sua vida a realidade dessa amizade vez após vez, desafio após desafio, temporada após temporada. Assim como na vida de Jesus, vejo muito claramente o que torna a vida e a mensagem do Dr. Perkins tão convincentes. A vida de Jesus foi repleta de pessoas: homens e mulheres que ele encontrou e acolheu. Pessoas comuns com quem dividiu uma refeição, casamentos que frequentou, crianças que abraçou, mulheres que protegeu e até um amigo que trouxe dos mortos. Amigos cujas dores ele compartilhou e, por fim, cujos pecados tomou para si. Ele nos deixou uma bela imagem de que a amizade divina era de coração para coração, mais importante que normas e regras sociais.

E, da mesma forma, sou mais uma vez provocado por John Perkins quando ele compartilha sua vida comigo. Exatamente como quando nos conhecemos. Sempre penso nele ao longo dos anos, e ainda fico impressionado pela forma como ele suportou o que suportou — e sorrindo. Até tive conversas em voz alta (bem, para ser sincero, eu estava gritando) com Deus sobre isso, perguntando: "Como, Senhor? Como esse homem suportou tanta dor, crueldade e injustiça e, ainda assim, é tão DOCE?!".

Veja bem, uma coisa é ser gentil quando alguém toma seu lugar no estacionamento, mas o que meu amigo sofreu é indizível, e no entanto seu amor permanece. Apenas um homem que experimentou um nível incrivelmente íntimo de amizade com Deus é capaz de me fazer acreditar que coisas assim são possíveis. Ele me faz querer conhecer mais a Deus. Ele me inspira a ser um companheiro constante de Deus. Somente um homem que conhece Jesus intimamente e cultivou um relacionamento verdadeiro e próspero com ele pode nos dar a esperança de que é de fato possível vencer a luta contra o pecado do racismo.

Sim, o Dr. Perkins e eu já fomos desconhecidos, mas não mais. Somos amigos que se tornaram família. Naquele dia, eu sabia que meu relacionamento com o Dr. Perkins era o que eu queria para toda a vida. Ele acolheu a mim e à minha família, além da comunidade Churchome — completos estranhos —, e nos chama de amigos. Construímos uma amizade que me transformou para sempre. Ele é um tesouro nacional, uma representação de esperança e de mudança da qual todos nós precisamos. Desfrutamos uma amizade verdadeira, marcada pela segurança e pelo sacrifício, o compromisso mútuo com a convicção que somente Deus pode dar. Não é a amizade definida de forma vaga que a cultura promove, mas aquela cultivada em amor sincero e respeito. Uma amizade que divide fardos e suporta dores. Esse tipo de amizade é único, vinculado ao amor de Deus e de um pelo outro, que pode superar e vencer a luta contra o ódio e a intolerância. Jesus verdadeiramente o chama de amigo, e sou muito grato por também fazê-lo.

JUDAH SMITH
Pastor da Churchome e autor de *Jesus é* _____.

"Agora vocês são meus amigos."

João 15.15

Introdução

Há muito tempo a Nova Zelândia é conhecida por sua tranquilidade, qualidade de vida e liberdade econômica. Minha esposa e eu estivemos lá há algum tempo e ficamos impressionados com a beleza e a paz daquele país. Vera Mae disse que, se pudesse viver em outro lugar que não nos Estados Unidos, escolheria morar lá.

Enquanto escrevo as palavras deste livro, nosso coração se entristece com a notícia de que um atirador matou cinquenta muçulmanos em seus locais de culto na cidade de Christchurch. A Nova Zelândia, por muitos anos um lugar pacífico e seguro, se encontra agora atemorizada pelo ódio étnico e pela violência. Por volta da mesma época, aqui nos Estados Unidos, assistimos ao assassinato de onze judeus na Sinagoga Árvore da Vida, em Pittsburgh, na Pensilvânia, e ao assassinato de uma jovem branca em Charlottesville, na Virgínia, que protestava contra as palavras de ordem de supremacistas brancos que marchavam pelas ruas exibindo símbolos nazistas.

Eu já vivi tempo suficiente para não ficar alarmado com qualquer coisinha, mas vejo algo acontecer nos Estados Unidos e pelo mundo afora que precisamos controlar. Se não o fizermos, isso nos destruirá.

Quando escrevi *One Blood: Parting Words to the Church on Race and Love* [Um só sangue: Últimas palavras para a igreja sobre raça e amor], em meu coração eu quis fazer as pessoas entenderem que existe apenas uma raça: a raça humana. E que todo ser humano é criado à imagem de Deus e tem dignidade e valor. Cada indivíduo — negro, branco, hispânico, asiático, judeu, muçulmano — é criado à imagem de Deus! Do fundo do coração, acredito que a igreja é responsável por conhecer essa verdade e vivenciá-la. *One Blood* foi uma mudança de paradigma. Nosso comportamento mostrava que pensávamos haver muitas raças: a negra, a branca, a hispânica, a asiática e assim por diante. Mas, na verdade, existe apenas uma e somos idênticos uns aos outros, com exceção de 0,1% de nossa composição, responsável pela cor da pele e a aparência física.

Este livro é a progressão daquela mensagem. É a mensagem do discipulado que decorre de nossa salvação pelo sangue de Jesus. Como viver esse novo paradigma de unidade? Como concretizamos esse novo paradigma de unidade? Como superamos as fronteiras e os muros que nos separaram segundo barreiras étnicas, econômicas, sociais e de classe? Existe um bálsamo de cura para a doença pecaminosa do ódio e do preconceito étnicos?

O apóstolo João disse isso de forma muito clara nas Escrituras: "Se vivemos na luz, como Deus está na luz, teremos comunhão [amizade] uns com os outros" (1Jo 1.7a). Meu argumento é que a amizade é o caminho para superar as barreiras que nos separam há tanto tempo. Amizade é discipulado em ação. Deus nos chama para uma amizade profunda consigo próprio e com todos os seus filhos, o que contrasta fortemente com o modo como falamos hoje de "amigos". Muito se fala em amizade por causa do Facebook e da internet. Você pode conseguir amigos e "curtidas"

> Podemos estar "conectados", mas somos pessoas solitárias, isoladas umas das outras, com medo umas das outras.

e começar a se sentir bem consigo mesmo, dependendo de quantos você acumular. Nossa fundação, a John & Vera Mae Perkins Foundation, tem cerca de 3.500 curtidas no momento, e suponho que isso seja um bom número. Mas não tenho certeza se esse tipo de amizade é forte o suficiente para nos fazer atravessar os obstáculos que nos isolam uns dos outros. Acredito que a pessoa pode ter muitos amigos desse tipo e ainda assim se sentir sozinha, isolada e com medo.

O colunista E. J. Dionne Jr. conta sobre uma conversa que Marc Dunkelman teve há vinte anos com seu avô, um vendedor aposentado. Eles falavam sobre como encontrar os melhores restaurantes em uma cidade desconhecida. Marc estava empolgado com um novo aplicativo que ajudava o usuário a encontrar os melhores lugares para comer e até mostrava quais restaurantes havia por perto. Mas seu avô não ficou muito entusiasmado com aquela nova tecnologia. Ele disse que sempre que fazia uma viagem de vendas a um novo local, procurava um "desconhecido de aparência amigável" e lhe pedia que recomendasse um bom lugar para comer. Nesse processo, o desconhecido muitas vezes se tornava um novo amigo, alguém que ele encontraria quando retornasse à cidade. "Foi assim que conheci o mundo: conversando com estranhos", disse o homem mais velho. "Com todas essas tecnologias sofisticadas de que você está falando, como as pessoas vão se conhecer? Se quer saber, acho que isso vai deixar todo mundo mais solitário."[1]

Acredito que ele tem razão. Dispomos de toda a tecnologia para facilitar o contato entre nós, mas na verdade não há contato nenhum. Podemos estar "conectados", mas somos pessoas solitárias, isoladas umas das outras, com medo umas das outras. E esse medo tem causado atos de violência que vêm se tornando comuns demais.

A solidão tem sido chamada de "um dos maiores desafios de saúde pública do nosso tempo".[2] A ex-primeira-ministra da Inglaterra chegou a nomear uma ministra da solidão para resolver esse problema.[3] Nos Estados Unidos, a Associação Americana de Aposentados entrevistou adultos com 45 anos ou mais e descobriu que um terço deles se sente só.[4] Há uma epidemia de solidão e falta de amizade, e essa epidemia traz sérias consequências para a saúde pública. Pesquisas mostram que a solidão e o isolamento são tão prejudiciais para a saúde quanto fumar quinze cigarros por dia, podendo acelerar o avanço do mal de Alzheimer.[5]

Portanto, a falta de amizade, a solidão e o isolamento prejudicam corpo, mente... e alma. É do impacto em nossa alma que este livro trata. Quero falar sobre amizade no nível da alma. Acho que esse é o tipo de amizade que Deus planejou que tivéssemos, com ele e uns com os outros. É o único tipo de amizade que curará as feridas da alma e nos ajudará a resolver o problema étnico. Eu gosto das duas seguintes definições de amizade. A primeira vem de um livreto teológico e a segunda vem da cultura nativa americana:

> Amizade é uma relação recíproca
> caracterizada por intimidade,
> fidelidade, confiança,
> gentileza desinteressada e serviço.[6]

Amigo: "Alguém-que-carrega-minhas-dores-em-suas-costas".[7]

Isso sim é amizade. Ser capaz de se ligar a alguém e caminhar pela vida juntos. Confiar um no outro e cuidar-se mutuamente em um nível profundo do coração. Ajudar um ao outro a carregar as tristezas da vida.

INTRODUÇÃO

Minha primeira amiga foi minha avó. Ela era de idade, mas foi de fato minha primeira amiga. Quando eu me sentia abatido ou quando alguém fazia algo contra mim e eu não conseguia responder à altura, eu chorava e me sentava à beira da lareira. E eu colocava minha cabeça no colo dela. Suas mãos frágeis acariciavam minha cabeça perturbada e parte da minha tristeza desaparecia. Ela se tornou um lugar seguro para mim, como uma âncora em águas tempestuosas.

Isso foi importante para mim em minha infância pobre no Mississippi, no Sul regido pelas leis de segregação racial. Minha mãe morreu quando eu tinha sete meses de idade. Ela me levou ao peito e me deu sua última gota de força. Morreu de fome e, porque teria sido difícil para meu pai cuidar dos filhos sozinho, fui criado por minha avó, que criou treze filhos. Ela fez o melhor que pôde, e sou grato por ela ter me acolhido. Nossa casa estava sempre cheia de crianças, mas eu ainda assim me sentia sozinho.

Talvez eu estivesse especialmente carente porque minha mãe se fora e meu pai estava ausente de casa. Eu sempre me indagava, aflito, se minha vida importava. Desde cedo eu queria me sentir importante, sentir que minha vida tinha algum significado. Mas eu me sentia sem importância e muito sozinho.

Se é verdade que nossa importância se reflete nos olhos dos outros, então suponho que eu possuía um grande déficit como um garoto negro e pobre no Mississippi. Não houve pais amáveis que olhassem com orgulho para meus primeiros passos ou que esperassem ansiosamente minhas primeiras palavras. Não houve professores cujos olhos se iluminassem quando eu entrava na sala de aula. Mas sou eternamente grato a uma professora. A Sra. Maybelle Armstrong me ensinou as histórias de Nat Turner, Frederick Douglass e John Brown, e me convenceu de que um dia eu também poderia ser um líder. Isso me trouxe profundo amor pela minha negritude e impediu que eu me sentisse como menos humano do que qualquer outra pessoa. Talvez ela pudesse ver algo em mim — mesmo quando jovem — que eu não conseguia ver. Porém, entre a terceira e a quinta série, deixei de ir à escola e fui trabalhar colhendo algodão.

Aprendi mais lições sobre minha insignificância nos campos de algodão do Mississippi. Certo dia em particular, a lição foi tão crua e tão profunda que ainda me lembro dela, mais de setenta anos depois, como se fosse ontem. Quando tinha onze ou doze anos, trabalhava o dia inteiro arrastando feno para um cavalheiro branco. Eu esperava ganhar um dólar ou um dólar e meio por esse dia de trabalho. No final do dia, porém, ele me deu alguns centavos. Mesmo sendo criança, entendi, por suas ações, que ele dizia que eu não tinha valor.

Alguns anos depois, quando meu irmão Clyde foi morto por um policial, eu soube que a vida de um negro não valia muito, pelo menos não no Mississippi. Então, assim como o personagem Cristão em *O Peregrino*, parti para encontrar a Cidade Celestial, um lugar onde minha vida importasse e o enorme vazio de insignificância pudesse ser preenchido. Minha peregrinação me conduziu à Califórnia. De fato, era como a Cidade Celestial para um homem negro do Sul. Consegui encontrar um bom emprego lá. Vi meu valor refletido nos olhos das pessoas que conheci, tanto negros quanto brancos.

> Acho que quase alcançamos o sonho americano... porém, ainda faltava algo. Eu estava inquieto, sem saber por quê.

Minha grande ventura foi me casar com Vera Mae e começarmos a construir uma família juntos. Finalmente, a vida era

INTRODUÇÃO

boa. Acho que quase alcançamos o sonho americano. Eu tinha amigos de verdade, uma família, uma boa casa, um bom trabalho e pessoas que me respeitavam... porém, ainda faltava algo. Eu estava inquieto, mas não sabia por quê. Havia um anseio — uma solidão — em meu coração que não me abandonava.

Nosso filho mais velho, Spencer, começou a ir às reuniões do ministério Clube de Boas-novas, onde aprendeu que a Bíblia ensinava que Jesus o ama. Ele voltava para casa animado para compartilhar comigo as histórias que havia aprendido. Quando ele me convidou para ir, fiquei mais animado do que ele poderia ter esperado. E quando comecei a ler a Bíblia por conta própria, desde as primeiras páginas, encontrei a resposta para aquele desejo tão profundo, a solidão que parecia um abismo amplo e vazio. Li sobre um Deus que seria um amigo. Pela primeira vez, li sobre um Deus que criou tudo: a terra, o sol, a lua, as estrelas e todos os seres vivos. Então ele criou um homem e uma mulher. O poeta James Weldon Johnson imagina a cena. Em "A Criação", Johnson descreve Deus observando a grandiosidade de tudo o que ele havia feito. Depois de um tempo, o Senhor decidiu que não bastava, que algo estava faltando. Ele decidiu: "Farei para mim um homem".[8]

E foi o que ele fez.

Gosto muito dessa imagem de Deus sentado e pensando sobre o que ele faria para preencher sua "solidão", a ideia de um ser do qual pudesse ser companheiro, e finalmente decidindo que criaria o homem. Pode não ser teologicamente correto, pois Deus — Pai, Filho e Espírito Santo — já era completo em si mesmo. E, para dizer a verdade, tenho certeza de que nascemos da amizade da Trindade. Quando Deus disse em Gênesis 1.26: "Façamos o ser humano à nossa imagem; ele será semelhante a nós", ele pôs as coisas em movimento.

Mas, em minha mente, consigo imaginar Deus curvando-se e pegando argila, aparando as arestas e formando cuidadosamente o corpo de Adão, o primeiro ser humano. Como um escultor, ele se afasta lentamente de sua obra-prima, apreciando a beleza do que havia feito. Certamente deve ter sido essa a imagem que o salmista tinha em mente quando escreveu que somos "feito de modo tão extraordinário" (Sl 139.14). E, por fim, Deus soprou o fôlego da vida em Adão, "e o homem se tornou ser vivo" (Gn 2.7).

Surpreendentemente, depois de Deus colocar o primeiro homem, Adão, no jardim do Éden, onde ele tinha tudo de que poderia precisar, Deus disse: "Não é bom que o homem fique só. Farei alguém que o ajude e o complete" (Gn 2.18). Então Deus criou uma mulher a partir da costela de Adão e a nomeou Eva. Sua beleza emocionou Adão, que encontrou nela a resposta para sua solidão. Amizade e relacionamento são os remédios para a solidão e o isolamento, e a deles era uma amizade rica e íntima. Adão "conhecia" Eva. Essa palavra carrega a ideia de intimidade física e emocional. Deus havia providenciado uma solução para a solidão que ameaçava ocupar o jardim. Este era seu propósito para o casamento: que marido e mulher preenchessem o lugar solitário um do outro.

Podemos observar um casal andando no parque e quase dizer se eles são casados ou não. Algo no comportamento deles, o modo como se dão as mãos e andam juntos. Existe uma união tácita que fica evidente porque é única. Quando Vera Mae e eu nos casamos, eu vivia encantado com sua beleza. Pensar que ela então era parte de mim! Eu nunca mais estaria sozinho. E, nos últimos setenta anos, esse tem sido um dos meus maiores tesouros. Nós temos sido um.

INTRODUÇÃO

Havia amizade e amor únicos entre Adão e Eva e também com Deus. Acredito que Deus os visitava todos os dias no jardim porque eles eram amigos. O Dr. Bill Thrasher sugere que Deus "criou o homem com um cuidado e desígnio especiais, além de tudo o mais, para poder desfrutar Deus em toda sua perfeição. Conversar, andar, pensar, brincar juntos. Pode ser difícil imaginar-se passeando no parque com Deus, mas é exatamente isso que Adão e Eva desfrutaram".[9] Só imaginar ter esse tipo de relacionamento com Deus me empolgou. Eu quase podia sentir o buraco no meu coração começando a se encher — poderia eu ser amigo *desse* Deus?

A amizade tranquila no jardim foi interrompida porque Adão e Eva quebraram as regras. E partiram o coração de Deus. A única árvore cujos frutos Deus lhes disse que não comessem — a árvore do conhecimento do bem e do mal — era tentadora demais. Eles desobedeceram a Deus, e de repente a vergonha entrou naquele lugar de intimidade, amor e amizade. Ele os removeu do jardim, e tudo poderia ter terminado ali. Mas Deus deixou claro — mesmo antes de deixarem definitivamente o jardim — que ele não desistiria de uma amizade íntima e de um relacionamento amoroso com a humanidade. Prometeu que restauraria para sempre a amizade por intermédio de alguém que viria pela linhagem de Adão e Eva (ver Gn 3.15). O Evangelho de Lucas, no Novo Testamento, mostra que Deus fez exatamente o que disse que faria. Lucas traça a linhagem de Jesus até Adão (Lc 3.23-38).

> A amizade é a embarcação que devemos conduzir ao longo de nossa jornada como peregrinos, amando-nos mutuamente e até mesmo dando nossa vida uns pelos outros, se assim for necessário.

Então continuei lendo e lendo e, no final de tudo, são mencionados um novo céu e uma nova terra. E há uma imagem desse mesmo Deus desfrutando amizade e relacionamento eternos com todos os que escolhem ser seus amigos. O que começou a se mostrar para mim foi a importância crucial da amizade e do relacionamento com esse Deus maravilhoso. Amizade no nível da alma! Sem ela, resta em nossa alma uma ferida aberta. É um buraco que a solidão e a raiva preenchem e transbordam.

Em minhas nove décadas de vida, passei a acreditar que o propósito do homem é conhecer esse Deus maravilhoso — amá-lo, servi-lo, adorá-lo — e torná-lo conhecido. E acredito que Deus não apenas nos criou e ordenou que fizéssemos isso, mas em sua graça ele também nos disse como fazê-lo. Ele nos mostrou o caminho. É por meio da amizade. Essa "comunhão uns com os outros" que ele possibilita é a revolução que pode curar séculos de mágoas e ódios que nos separam. Uma vez que somos amigos dele, não precisamos encarar sozinhos tais separações. E não é mesmo para fazê-lo. A amizade é a embarcação que devemos conduzir ao longo de nossa jornada como peregrinos, amando-nos mutuamente e até mesmo dando nossa vida uns pelos outros, se assim for necessário.[10]

Acredito que Deus é o exemplo perfeito para nós desse tipo de amizade bíblica. Ele busca até mesmo aqueles que são improváveis, desqualificados e indignos. A amizade bíblica é profunda. Não se contenta com conversas superficiais. A amizade bíblica perdoa e faz isso sem limites. Falaremos sobre Abraão, Moisés e Davi como amigos de Deus na Parte 1: Amizade com Deus Pai. Examinaremos lições poderosas sobre amizade ao observar como Deus se relacionou com cada uma dessas pessoas e como elas responderam.

A amizade bíblica transpõe várias barreiras de etnia, gênero e classe social. Jesus nos mostrou como fazer isso, e na Parte 2: Amizade com Jesus, falaremos a esse respeito. Ele era Deus encarnado, mas veio como uma criança desamparada nascida de uma virgem. Ele veio com humildade — nada do que esperaríamos de um rei. Era amigo de prostitutas, cobradores de impostos e leprosos. Mostrou-nos como alcançar e mostrar amor a pessoas que não se parecem conosco. Foi exemplo da verdadeira amizade quando deu a vida por seus amigos.

A Parte 3 nos apresenta o conceito de amizade com o Espírito Santo. Acredito que há muita confusão sobre quem o Espírito é. Ele não é uma névoa que flutua no ar. Ele é o Deus que vive no coração de todo aquele que crê. Seu trabalho de nos ajudar a cumprir o mandato da amizade é crucial. Desde o momento em que apareceu no Pentecostes ele ajuda as pessoas a serem amigas de Deus. Ele entrou em cena no Pentecostes e traduziu o evangelho para todos os idiomas da multidão presente naquele dia, para que todos pudessem ouvir e entender a mensagem de Deus. A mensagem era que Jesus veio como o Deus-homem e morreu por nossos pecados, para que finalmente a amizade que havia sido interrompida no jardim do Éden fosse para sempre restaurada. É o Espírito Santo que une nosso coração em companheirismo e amizade. Ele nos torna um.

E, finalmente, na Parte 4: Amizade com os outros, falaremos sobre como a amizade com Deus nos chama a estender essa amizade e amor às pessoas. Aprenderemos com o bom samaritano, Ester e Mardoqueu, e outros. Seremos desafiados a superar as pesadas barreiras que nos separam desde muito tempo. Se alguma vez houve um momento em que esta mensagem é necessária, é agora. A crescente epidemia de solidão, isolamento e raiva em nosso mundo é uma plataforma para a amizade que Deus oferece a todos que se dispõem a recebê-la.

Ao longo do caminho, compartilharei algumas histórias especiais de amigos. Minha vida foi enriquecida por uma multidão de amigos. Não haveria páginas suficientes neste livro para falar sobre todos eles. As pessoas escolhidas para compartilhar suas histórias neste livro são simbólicas e representam a multidão de amigos que, como minha avó e como o grande Deus da criação, têm sido portos seguros para mim. Convidei-os a compartilhar a história de como Deus nos uniu e como essa amizade enriqueceu nossa vida.

O livro termina com um desafio pessoal para você: o de se tornar amigo de Deus e de outras pessoas. É a única coisa que levaremos desta vida para a próxima: amigos a quem ajudamos a encontrar o caminho para o único e verdadeiro Amigo. Israel Houghton canta: "Sou amigo de Deus... ele me chama de amigo". Adoro a letra dessa música. Incentivo você a meditar sobre essas palavras à medida que avançamos. Deixe sua mente se surpreender com a verdade de que o grande Deus da glória o chama de amigo. Ele deseja que a plenitude de amor que ele lhe dá transborde em amor por outras pessoas.

Parte 1

AMIZADE COM DEUS PAI

*Quanto a você, meu servo Israel,
Jacó, meu escolhido,
descendente de meu **amigo Abraão**,
eu o chamei de volta dos confins da terra
e disse: "Você é meu servo".
Pois eu o escolhi
e não o lançarei fora.*

Isaías 41.8-9

*Ó nosso Deus, acaso não expulsaste os habitantes
desta terra quando Israel, teu povo, chegou?
Não deste esta terra para sempre
aos descendentes de teu **amigo Abraão**?*

2Crônicas 20.7

1

O Cão de Caça do Céu

Marty Nesbitt ficou conhecido como o "primeiro amigo". Quando Barack Obama concorreu à presidência em 2008, ele instituiu a regra "chega de novos amigos". Decidiu cercar-se de amigos confiáveis, de longa data, que o ajudassem a manter os pés no chão. Ele dividia algo especial com Marty. Ambos haviam tido relacionamentos decepcionantes com seu respectivo pai e decidiram ser ótimos pais para seus próprios filhos. Ambos carregavam feridas profundas causadas pelo pai e isso era, além de um vínculo, algo motivador para os dois.[1]

Abraão foi o "primeiro amigo" de Deus. Podemos inferir da interação de Deus com Adão e Eva no jardim que eles eram amigos, mas Abraão foi o primeiro homem a quem Deus se referiu na Bíblia como seu amigo. Adoro a história de Abraão. Quando li toda a Bíblia pela primeira vez, entendi por que Deus o chamava de "amigo". Penso que quando as pessoas compartilham experiências comuns, cria-se um vínculo sobre o qual se pode construir um relacionamento verdadeiro. As experiências traumáticas são um caminho para a criação de vínculos únicos e duradouros.

Alguns dos vínculos que compartilhei com outros que lutaram pelos direitos civis se tornaram muito profundos porque arriscamos nossa vida para registrar as pessoas como eleitoras. Isso não foi bem visto por alguns dos brancos locais em

Mendenhall, Mississippi. Começamos a receber ameaças por telefone, e carros rondavam nossa casa à noite, passando bem devagar. Quando contei tudo isso a alguns de meus vizinhos, a comunidade entrou em ação. Quase cem homens chegavam todas as noites para proteger minha casa. Eles me mandavam ir para a cama e descansar um pouco. "Protegeremos você e sua família", diziam. "Você está aqui para fazer o que não podemos fazer, e é nossa tarefa protegê-lo."[2] Essa experiência em comum foi a base de amizades duradouras entre nós. Nunca esquecerei o sacrifício pessoal que fizeram por mim.

A solicitação de Deus a Abraão criou um vínculo único entre eles. Ele pediu a Abraão que fizesse algo que nunca pediu a outro ser humano. Seria o sacrifício supremo. E Abraão obedeceu. Acredito que essa experiência em comum fez de Abraão para sempre um amigo de Deus, como ninguém mais. Continue lendo!

O DEUS QUE BUSCA

Abraão cresceu na cidade de Ur, conhecida pela idolatria a muitos deuses. Sabemos com base em Josué 24.2 que Abraão e seu pai, Terá, adoravam ídolos. Eles levavam suas oferendas aos templos, na esperança de que os deuses lhes provessem proteção e favor. O povo de Ur acreditava que o deus da lua, Nana, era o maior dos deuses porque proporcionava fertilidade para suas colheitas, rebanhos e famílias.

Durante 75 anos, Abraão havia acreditado que precisava dar coisas a esses deuses a fim de obter segurança e prosperidade. E, de repente, Deus veio a Abraão, buscando-o e prometendo abençoá-lo. Gosto muito dessa passagem! Eu não podia acreditar que esse Deus, o Deus da criação, se abaixaria para buscar

Abraão como amigo e prometer abençoá-lo! Esse não é um deus qualquer. É o Deus que busca relacionamento. É o Deus que abre os braços, que vai atrás dos amigos para amá-los e abençoá-los.

Aprendi desde o início que, se você quer um amigo, precisa ser um amigo. Foi o que Deus fez. Ele não esperou que Abraão o procurasse ou lhe oferecesse coisas. Ele buscou Abraão. Deus é assim. Francis Thompson escreveu um poema intitulado "O Cão de Caça do Céu", que retrata Deus como alguém que busca incansavelmente sua presa a exemplo de um cão perseguindo um coelho. Ele persegue, sem jamais se afastar, até que a alma sinta o peso de sua busca e se volte para ele. Essa ideia de que Deus está nos buscando implacavelmente ultrapassa nosso entendimento. O Cântico de Salomão usa a imagem de um noivo perseguindo sua amada para representar o amor apaixonado de Deus e o desejo de que sejamos amigos e experimentemos seu propósito para nossa vida. Essa busca dura a vida toda. Ele primeiro nos chama para seu abraço como amigo e depois nos atrai repetidamente para o plano que ele tem para nossa vida.

> Deus ama você e quer você. Como essa verdade desafia aquilo que você acreditava até então a respeito dele?

Eu não sei como você vê a Deus. Algumas pessoas o veem como um avô amoroso que vela por nós silenciosamente. Outras pessoas o veem como um instrutor militar que nunca se satisfaz conosco e sempre exige mais do que podemos oferecer. A história de Abraão nos lembra de que Deus é tão cheio de amor que ele nos procura onde quer que estejamos e nos derrama seu amor. Eis como Deus falou a respeito de seu amor por nós:

Pode a mãe se esquecer do filho que ainda mama?
Pode deixar de sentir amor pelo filho que ela deu à luz?
Mesmo que isso fosse possível,
  eu não me esqueceria de vocês!
Vejam, escrevi seu nome na palma de minhas mãos;
  seus muros em ruínas estão sempre em minha mente.

Isaías 49.15-16

Pense nisso por um momento. Deus ama você e quer você. Como essa verdade desafia aquilo que você acreditava até então a respeito dele?

O DEUS QUE PROMETE

Deus disse a Abraão, então chamado Abrão, que deixasse seus parentes e tudo o que lhe era familiar e partisse. Com a promessa de que Deus lhe mostraria para onde deveria ir, Abraão foi instruído a deixar a terra natal e confiar que Deus criaria a partir dele uma grande nação e que por seu intermédio todos na terra seriam abençoados. Assim, aos 75 anos de idade, Abraão partiu em sua peregrinação. "Então Abrão partiu, como o SENHOR havia instruído" (Gn 12.4).

Após 25 anos, Deus lembrou a Abraão essa promessa e fez uma aliança com ele (ver Gn 15). Nessa aliança, Deus disse a Abraão que seus descendentes seriam escravos por quatrocentos anos e depois seriam libertados para viver na terra que ele lhes daria. Para que isso acontecesse, Deus teria de milagrosamente dar a Abraão um filho. A essa altura, Abraão tinha 100 anos de idade, e sua esposa, Sara, 90. Esse não era um milagre pequeno. Era tão impossível imaginá-lo que Abraão e Sara riram quando ouviram isso (Gn 17.17; 18.12). Mas os dois estavam se preparando para aprender que esse Deus não apenas busca um relacionamento, como também cumpre suas promessas.

Fico espantado com o fato de Deus fazer promessas a um ser humano. E ele fez isso de novo e de novo. Ele se comprometeu com a humanidade.

> Não tenha medo, pois estou com você;
>   não desanime, pois sou o seu Deus.
> Eu o fortalecerei e o ajudarei;
>   com minha vitoriosa mão direita o sustentarei.
>
> Isaías 41.10

> Quando passar por águas profundas,
>   estarei a seu lado.
> Quando atravessar rios,
>   não se afogará.
> Quando passar pelo fogo,
>   não se queimará;
> as chamas não lhe farão mal.
>
> Isaías 43.2

> "Porque eu sei os planos que tenho para vocês", diz o SENHOR. "São planos de bem, e não de mal, para lhes dar o futuro pelo qual anseiam."
>
> Jeremias 29.11

Deus faz promessas, e suas promessas são certezas. A promessa suprema é a da vida eterna para aqueles que creem que Jesus Cristo é o Filho de Deus. Se você é amigo de Deus, ele pode conduzi-lo até lá. A Bíblia toda foi escrita para nos ajudar a conhecer a promessa de Deus e nos restituir ao que ele pretendia para nós. Podemos descansar na verdade das palavras do antigo hino:

Firmes nas promessas não irei falhar,
Vindo as tempestades a me consternar;
Pelo Verbo Eterno eu hei de trabalhar,
Firme nas promessas de Jesus![3]

Tudo o que Deus diz que fará, ele faz. Embora tenham esperado muitos anos depois que Deus lhe fez a promessa, Isaque, o filho de Abraão e Sara, nasceu. Eu, que já passei há muito dos oitenta e tantos anos, ganho ânimo com o fato de que Deus esperou até Abraão ficar idoso antes de usá-lo. Ele poderia ter chamado Abraão de Ur quando era jovem, forte e cheio de energia. Mas esperou até que Abraão estivesse combalido e em idade avançada. Gosto disso. Isso prova que Deus não faz discriminações. Nosso mundo se habituou a colocar os idosos na prateleira e ignorar a sabedoria dos antigos. Mas Deus não é assim. Ele deseja amizade com todos, mesmo aqueles que já passaram dos anos produtivos, segundo os padrões do mundo.

Quando John Glenn embarcou no ônibus espacial em 29 de outubro de 1998, aos 77 anos, a revista *Time* publicou um artigo que começava dizendo: "Este não é um país para idosos". A opinião da maioria das pessoas é que, aos 77 anos, um homem deve ficar sentado na cadeira de balanço de uma casa de repouso vivendo de sua aposentadoria. Deve abrir espaço para que os jovens possam assumir a frente. Sou grato por Deus ainda chamar os idosos de hoje — e ele tem um propósito fecundo para cada uma dessas vidas até o final. Mesmo aos 89 anos estou descobrindo que Deus ainda reserva coisas para eu fazer nesta vida. E, na verdade, a citação completa da *Time* vai além e pontua corretamente: "Este não é um país para idosos, então John Glenn o deixará em outubro — deixará o planeta e irá para um lugar onde a idade não conta".[4] Deus certamente trabalha por nosso intermédio em um lugar onde a idade não importa!

DEUS EXIGE CONFIANÇA

Repetidas vezes, leio que Abraão creu em Deus. Abraão creu em Deus. Mas, a meu ver, o que de fato cimentou a amizade de Abraão com Deus foi o que aconteceu quando Deus lhe ordenou que sacrificasse seu filho Isaque. "Deus disse: 'Tome seu filho, seu único filho, Isaque, a quem você tanto ama, e vá à terra de Moriá. Lá, em um dos montes que eu lhe mostrarei, ofereça-o como holocausto" (Gn 22.2). Cedo na manhã seguinte, Abraão se levantou. Carregou seu jumento, cortou a madeira para o holocausto, levou Isaque e dois de seus servos, e seguiu em frente em obediência a Deus. Abraão conhecia a terrível prática do sacrifício infantil, algo comum na cidade de Ur. Mas Isaque não era um bebê ou uma criança pequena. Provavelmente era um adolescente ou um jovem adulto,[5] e seu coração estava unido ao de seu pai. E Abraão havia deixado as práticas pagãs de seu passado e seguia a Deus fielmente. Todavia, obedeceu à ordem de Deus pela fé.

Eu me identifico com a dor e a luta que Abraão enfrentou. A ideia de perder um filho é algo indizível. Isso nos abala a estrutura. Quando nosso filho Spencer morreu, quase perdi a vontade de viver. Eu havia imaginado passar o trabalho da minha vida a ele... e ele se foi. E anos depois, quando nosso filho mais novo, Wayne, também morreu, visitei a terra do luto mais uma vez. Foi difícil colocar a dor em palavras.

Mas Deus ordenou que Abraão oferecesse Isaque, seu único filho, para testar se Abraão realmente confiava nele ou não. E Abraão encarou o teste. Quando ele estava se preparando para tirar a vida de Isaque, Deus o deteve e apontou um carneiro num arbusto. Quando Abraão sacrificou o carneiro, declarou que o lugar ficaria conhecido como Javé-Jiré, "O SENHOR providenciará". Acredito que esse foi o ponto de virada na amizade de Abraão com Deus. Deus não voltaria a pedir a outro pai que sacrificasse seu filho em um altar... até que ele próprio fizesse isso ao oferecer Jesus como sacrifício pelos pecados do mundo. Penso que Abraão aprendeu que a amizade com Deus é tudo ou nada. Deus espera esse tipo de entrega completa e total, porque ele nos dá tudo. Nas palavras de A. W. Tozer: "Um Deus infinito pode se dar a cada um de seus filhos. Ele não se reparte para que cada um tenha seu quinhão, mas a cada um ele se dá tão inteiramente como se não houvesse outros".[6]

ABRAÃO ENCONTROU A PÉROLA

Muitas vezes eu me perguntei: O que Abraão deixou para trás e o que ele ganhou quando escolheu ser amigo de Deus? Ele abriu mão de tudo. Deixou terra natal, local de nascimento, os costumes com os quais havia sido criado. Abriu mão de uma riqueza considerável. Acredito que Abraão descobriu que a amizade com Deus era como uma pérola de grande valor. Em Mateus 13.45-46, Jesus diz: "O reino dos céus também é como um negociante que procurava pérolas da melhor qualidade. Quando descobriu uma pérola de grande valor, vendeu tudo que tinha e, com o dinheiro da venda, comprou a tal pérola".

Abraão descobriu a verdadeira pérola. Descobriu que o único caminho para esse Deus maravilhoso e onisciente é pela fé. Desistiu de tudo e começou uma peregrinação de fé, confiando que a cada dia Deus lhe mostraria a direção. E, ao longo do caminho, aprendeu sobre a fidelidade de Deus. Ser amigo de Deus significa deixar tudo para trás... especialmente nossos preconceitos e noções erradas sobre pessoas que não se parecem conosco.

RESPONDENDO AO CHAMADO DE DEUS PARA A AMIZADE

Quando Deus nos chama para alguma coisa, ele nos chama primeiro para si próprio, como amigo, e então nos chama para trabalhar para ele. Se a visão é grande o bastante, vale a pena abrir mão de tudo o que possuímos para segui-la. Quando penso em alguém que abriu mão de tudo, penso em Jim Elliot. Ele foi um missionário no Equador. Sabia que o povo Huaorani (anteriormente conhecido como Aucas) era violento e não tinha contato com o mundo exterior. Jim se deu conta do risco que estava correndo quando ele e outros quatro missionários aterrissaram o avião e esperaram para ser abordados por aquele povo. A princípio, as pessoas pareceram recebê-los bem, mas logo ficaram desconfiadas e com medo de que tirassem proveito delas. "Decidiram então que deveriam matar os visitantes antes que fossem mortos."[7] Mataram Jim e seus amigos e deixaram os corpos na água. Jim Elliot acreditava que para ser amigo de Deus valia a pena abrir mão de tudo, até de sua vida, para que pessoas que não se parecessem com ele pudessem se tornar amigas de Deus.

Após a morte de Jim, sua esposa, Elisabeth, conheceu duas das mulheres da tribo. Elisabeth, juntamente com Rachel Saint, irmã de Nate, outro dos missionários assassinados, foi convidada a retornar e falar a eles sobre Deus. Ela viveu com os Huaorani por dois anos e muitos deles se tornaram amigos de Deus, sendo que Rachel permaneceu com eles por trinta anos. Conheci melhor Elisabeth nas ocasiões em que ela vinha ao

Mississippi para visitar a filha e o genro. Nós nos cruzávamos no aeroporto, quando estávamos saindo para responder ao chamado de Deus para nossa vida. Eu admirava a coragem que ela e Jim tiveram ao levar a mensagem de Deus a um lugar tão perigoso. Jim abriu mão de tudo em resposta ao chamado de Deus para sua vida. E isso abriu portas para que muitas pessoas conhecessem o Deus que ele chamava de amigo.

Aprendi algo sobre o chamado de Deus quando estávamos em Monrovia, na Califórnia. De certa forma, meus antecedentes eram como os de Abraão. Eu não cresci adorando a Deus no Mississippi. Meu povo não era cristão. Não íamos à igreja. Éramos conhecidos por sermos fora da lei e por comerciarmos bebida clandestina. Era motivo de orgulho poder enganar as pessoas ganhando dinheiro escuso para sobreviver. O sistema de arrendamento rural foi manipulado contra nós desde o início, por isso nos tornamos especialistas em encontrar outras maneiras de ganhar dinheiro. Muitas dessas práticas nos colocavam em desacordo com a lei, de modo que as pessoas boas da igreja nos olhavam de nariz empinado. Meu conceito de Deus estava contaminado pela minha visão do pessoal da igreja; eu não tinha boa impressão nem dele nem deles.

> Como Abraão, aprendi que Deus está sempre buscando, sempre atraindo. Primeiro ele nos atrai a um relacionamento consigo como amigo. E então ele continuamente nos atrai para uma associação mais íntima e para o plano que tem para a nossa vida.

Mas, quando fui para a Califórnia e me tornei parte de uma igreja, conhecendo a Deus de verdade, as coisas mudaram. Fui instruído por uma mulher branca que havia servido como missionária no Brasil por dezenove anos. Muitos missionários que voltaram para casa após a Segunda Guerra

Mundial perceberam que os Estados Unidos constituíam um enorme campo missionário. Os americanos precisam do evangelho tanto quanto as pessoas em países em desenvolvimento. Após me converter, disse a ela que queria ser professor de Bíblia. Ela me ajudou a entender que a Bíblia era a revelação de Deus e que, para ser um professor de Bíblia, eu precisava conhecer a história toda. Quando cheguei ao capítulo 12 de Gênesis, senti o chamado de Deus, muito parecido com o chamado a Abraão.

Mas nossa vida era confortável. Finalmente tínhamos tudo com o que havíamos sonhado: uma bela casa de doze cômodos, um emprego bem remunerado como soldador, uma família em crescimento e uma igreja amorosa. Comecei a fazer trabalho de evangelização em um instituto para menores infratores que havia sido erigido no Vale de San Gabriel pelo governo da Califórnia. Os internos eram, em sua maioria, negros vindos do Sul. Eu estava certo de que se eles tivessem ouvido falar de Jesus e seu amor por eles no início da infância, como aconteceu com nosso filho Spencer, teriam tido chances melhores na vida.

Ao compartilhar minha história, dois deles sentados lá no fundo começaram a chorar. Quando olhei para eles, percebi que estava olhando para mim mesmo. Pois poderia ter sido eu a ficar confinado ali, a definhar. Não sei o que aconteceu com aqueles dois garotos, mas sei que minha vida não foi mais a mesma desde aquele dia. Eu havia jurado que nunca mais voltaria a viver no Mississippi. Só tinha lembranças ruins de lá. Mas senti Deus chamando nossa família a abrir mão de tudo e voltar para servi-lo naquele lugar. Em proporções menores que as de Abraão, senti que Deus estava pedindo que eu abrisse mão de minha vida confortável e confiasse nele a fim de me tornar uma bênção para outros. Talvez eu pudesse ajudar os meninos no Mississippi; eu poderia dizer que Deus queria ser amigo deles e assim evitar que acabassem na prisão.

Como Abraão, aprendi que Deus está sempre buscando, sempre atraindo. Primeiro ele nos atrai a um relacionamento consigo como amigo. E então ele continuamente nos atrai para uma associação mais íntima e para o plano que tem para a nossa vida. Ele me atraiu de volta ao Mississippi quando eu estava na Califórnia. Ele tem um modo de nos atrair que nos faz entender que aquilo só poderia ter vindo dele. Devido ao peso de tudo o que tínhamos deixado para trás no Mississippi — raiva, amargura, lembranças ruins — seria preciso nada menos que um propósito do tamanho de Deus para nos convencer a voltar ao Sul para viver e servir.

VOLTANDO? NÃO: AVANÇANDO COM DEUS

De fato, voltamos ao Mississippi. E eu aprendi que Deus cumpre suas promessas. Ele me prometeu que, se eu lhe obedecesse e voltasse ao Mississippi, ele cuidaria de nossa família. E foi o que ele fez. Ele nos possibilitou compartilhar o evangelho com os adolescentes carentes, alcoólatras e sem igreja que andavam pelas ruas e se perdiam nos bares de New Hebron, Mississippi.[8] Ele nos acompanhou em meio a prisões, espancamentos e ameaças de vidas.

Ele nos transformou em seu testemunho vivo. Mostrou-nos que tem o poder de superar a divisão entre pessoas que não se parecem umas com as outras. Onde o ódio havia sido semeado, ele nos mostrou que o amor e a amizade podem arrancar essas sementes disformes. Penso muito nisso quando reflito sobre o que está acontecendo em meu país hoje. Estamos divididos como nunca estivemos antes. Permitimos que a cor da pele e outras diferenças nos separassem, impedindo que nos tornemos amigos. Acredito que Deus está chamando todos nós para sua grande visão de reconciliação, a amizade bíblica. Esse é um chamado maior que qualquer um de nós; mas não será grande demais se trabalharmos juntos com o poder dele.

Aprendemos que para sermos amigos de Deus vale a pena abrir mão de todo o resto. Posses. Popularidade. Preconceitos. Poder. A amizade com Deus é a pérola de alto valor. Você já descobriu tal pérola? Se sim, consegue perceber como ele está buscando você neste exato momento? Que propósitos ele tem para sua vida? Se você ainda não a descobriu, continue lendo!

Ó Deus, provei tua bondade, e isso me satisfez e me deixou sedento por mais. Estou dolorosamente consciente da minha necessidade de mais graça.

Tenho vergonha da minha apatia. Ó Deus, ó Deus Trino, quero te querer; anseio por estar cheio de anseio; tenho sede de ter ainda mais sede.

Mostra-me a tua glória, rogo-te, para que eu te conheça de fato. Começa com misericórdia uma nova obra de amor dentro de mim. Diz à minha alma: "Levante-se, minha querida! Venha comigo, minha bela". Concede-me então tua graça para que eu me levante e te siga, deixando este vale sombrio por onde tenho vagado há tanto tempo.[9]

A.W. Tozer

> *"Ali o Senhor falava com Moisés face a face, como quem fala com um amigo."*

Êxodo 33.11

2

O Deus íntimo e santo

Os persas contavam a história do grande xá Abas, que reinou grandiosamente na Pérsia, mas que gostava de se misturar com o povo, disfarçado. Certa vez, vestido como um homem pobre, desceu o longo lance de escadas, escuro e úmido, até o porão minúsculo onde o foguista, sentado sobre as cinzas, cuidava da fornalha.

O xá sentou-se ao lado dele e começou a conversar. Na hora da refeição, o foguista pegou um tosco pão preto e um jarro de água e os dois comeram e beberam. O xá foi embora, mas voltou várias vezes, pois seu coração se encheu de simpatia pelo homem solitário. Ele dava seu amável conselho e o pobre homem lhe abria o coração e amava esse amigo, tão gentil, sábio e pobre como ele próprio.

Por fim, o imperador pensou: "Vou lhe dizer quem sou e ver que dádiva ele pedirá". Então ele disse: "Você acha que sou pobre, mas eu sou o xá Abas, seu imperador". Ele esperava um grande pedido, mas o homem ficou em silêncio. Fixando o olhar no pobre homem, disse: "Você não entendeu? Eu posso torná-lo rico e nobre, posso dar-lhe uma cidade, posso designá-lo como um grande governante. Você não irá pedir nada?".

O homem respondeu gentilmente: "Sim, meu senhor, eu entendi. Mas o que foi isso que o senhor fez, deixando seu palácio e sua glória para se sentar comigo neste lugar escuro, compartilhar minha comida simples e importar-se com o estado de meu coração? Nem mesmo o senhor pode me dar algo mais precioso. Para outros, o senhor pode dar presentes caros, mas para mim deu-se a si mesmo; resta apenas pedir que nunca retire o presente de sua amizade".[1]

Esse homem pobre aprendeu uma lição fundamental, assim como o xá. A amizade é o bem mais precioso de todos, especialmente quando é profunda e íntima. Esse tipo de relacionamento chegado é o que, acredito, Moisés desenvolveu com Deus. Eles eram amigos. Foi uma amizade profunda e rica que se fortaleceu ao longo do tempo, à medida que enfrentavam uma dificuldade após a outra. Juntos, eles conduziram mais de um milhão de pessoas para fora do Egito, através do mar Vermelho, do deserto, até finalmente chegar à Terra Prometida. Moisés se encontrava com Deus e ficava tão pleno de sua presença que seu rosto brilhava intensamente ao refletir a glória e a majestade divinas.

Moisés é um modelo para nós do que significa ser amigo de Deus. Significa que Deus dirige nossa vida, assim como fez com Moisés por quarenta anos no deserto. Essa amizade se renova a cada dia, quando acordamos, nossos pés tocam o chão e fazemos a escolha de viver para ele. Ele escreve a história de nossa vida, e quando tudo estiver pronto e chegarmos ao fim de nossa jornada, que alegria será se outros puderem dizer que refletimos para eles a glória e a majestade de Deus. Que agimos como ele. Que nossa vida foi moldada por ele.

DEUS É SOBERANO

Os israelitas, descendentes de Abraão, foram para o Egito durante um período de grande fome. Eles puderam trabalhar livremente como criadores de ovelhas, até que um novo faraó no Egito os escravizou.[2] Fazia parte da promessa de Deus a Abraão que seu povo seria escravizado por quatrocentos anos até que Deus os libertasse. Moisés foi o homem que Deus usou para libertá-los.

Moisés nasceu em um período de forte opressão para os israelitas. O faraó, alarmado com o crescimento do número de israelitas, ordenou que as parteiras matassem todos os meninos hebreus ao nascer. Aqueles que não fossem mortos no nascimento seriam jogados no rio Nilo para morrer, conforme sua ordem. Mas Deus tinha outros planos para Moisés. E, em seu plano, sua soberania se revelou. Ele é o Deus que busca. O Deus que cumpre suas promessas. E também é o Deus que sempre realiza seus propósitos. Adoro isso em Deus. Ele pode fazer o que quiser, e nada nem ninguém pode interromper seus planos.

A mãe de Moisés o levou ao rio Nilo, colocando-o em uma cesta de juncos que flutuaria na água. Quando a filha do faraó foi ao rio tomar banho, ouviu o bebê chorando e mandou sua criada buscá-lo. Bastou um olhar para o lindo bebê e ela ficou cativada. Mandou buscar uma das mulheres hebreias para cuidar dele. Tal mulher acabou por ser a mãe de Moisés. Então Moisés foi amamentado e desmamado por sua própria mãe, e cresceu no palácio do faraó, sendo preparado para a liderança.

DEUS ESCOLHE SEGUNDO SEUS PROPÓSITOS

Acredito que Deus adora agir dessa forma! Moisés não tinha nada que estar no palácio do faraó. Era hebreu, nasceu escravo, e uma sentença de morte pairava sobre sua cabeça. Mas Deus desafiou tudo isso para cumprir seus propósitos. Deus escolhe líderes. Muitas vezes, eles são improváveis segundo os padrões do mundo. Imagino que tenha sido perturbador para Moisés se ver como líder de mais de um milhão de pessoas, principalmente pelo fato de não ser um bom orador.

Penso nisso sempre que me vejo diante de centenas ou de milhares de pessoas, compartilhando minha história, conversando sobre amor, justiça, reconciliação, amizade e evangelho. Estudei apenas até o quinto ano e não tinha nada que estar nesses lugares, dialogando com pessoas que possuem títulos imponentes e currículos primorosos. Nos primeiros anos, enfrentei sérias dificuldades com isso; sentia-me inadequado e deslocado. E ainda me sinto um pouco assim atualmente, depois de tantos anos. Mas agora estou tentando transformar essa insegurança em gratidão a Deus, que ainda escolhe me usar.

Deus, de alguma forma, abre caminho para aqueles de nós que são considerados fracos pelos padrões do mundo. Tais pessoas podem ganhar muita coisa na vida se estiverem comprometidas com ele. Uma música de James Cleveland enfatiza que Deus adora usar pessoas comuns: "Pouco se torna muito quando é colocado nas mãos do Mestre".[3]

Embora Moisés tenha sido criado em um ambiente privilegiado, ele ainda se identificava com seu povo, os israelitas. As ações de Moisés nos ajudam a aprender como lidar com a questão dos privilégios nos dias de hoje. Trata-se de um tópico realmente controverso. Moisés tinha todo tipo de privilégio: riqueza, poder e prestígio, mas abriu mão de tudo para ajudar aqueles que estavam desamparados e eram incapazes de se defender. Ele se identificou com os que sofriam, de modo que a dor que sentiam se tornou a dele próprio. Eles viviam na escravidão, e seu sofrimento só fazia aumentar. Um dia, Moisés viu um egípcio espancar um hebreu. Ele reagiu matando o egípcio, e se viu forçado a fugir para salvar sua própria vida. Foi para Midiã e, durante quarenta anos, cuidou de ovelhas.

> Deus, de alguma forma, abre caminho para aqueles de nós que são considerados fracos pelos padrões do mundo.

Mas Deus estava prestes a atrair Moisés à amizade e ao relacionamento, e a seus propósitos para a vida dele. O Cão de Caça do Céu estava prestes a capturar sua presa.

DEUS DESEJA SER CONHECIDO

Deus apareceu a Moisés em um arbusto em chamas. Moisés percebeu que, embora o arbusto estivesse pegando fogo, não era consumido; antes, queimava sem parar. Moisés foi examinar o arbusto e Deus permitiu que ele chegasse perto, mas depois disse: "Não se aproxime mais [...]. Tire as sandálias, pois você está pisando em terra santa. Eu sou o Deus de seu pai, o Deus de Abraão, o Deus de Isaque e o Deus de Jacó" (Êx 3.5-6).

É uma imagem gloriosa de Deus. Ele permitiu que Moisés se aproximasse, mas depois ordenou que tirasse as sandálias. Esse equilíbrio entre aproximar-se e tirar as sandálias é lindo. Deus deseja proximidade. Quer ser conhecido. Uma parte essencial da amizade é conhecer o outro. Deus fez sua parte para nos ajudar a conhecê-lo. Não saberíamos nada sobre Deus se ele não houvesse tocado o coração de homens para que escrevessem sua história. Todas as Escrituras, de Gênesis a Apocalipse, são a autorrevelação de Deus: quem ele é, o que pensa e o que deseja.

Na primeira vez que li a Bíblia do início ao fim, fiquei maravilhado com quão fascinante Deus é. Ele manteve seu propósito desde o início e, em sua soberania, cumpre tudo o que se propõe fazer. Criou as pessoas para terem comunhão com ele. Antes mesmo de nosso pecado, Deus já possuía um plano para nos reconduzir à comunhão com ele. Seu desejo de comunhão com humanos caídos era tão grande que estava disposto a morrer para nos restaurar a um relacionamento de amor com ele. E, no final, ele terá amizade e comunhão eterna com todos que escolherem estar com ele. Esse é o esboço geral de sua história, mas quando examinamos como ele interagiu com pessoas como Moisés, obtemos um entendimento mais profundo de seu caráter.

Fico triste ao pensar que poucas pessoas fazem proveito de conhecê-lo por meio da leitura da Bíblia. De acordo com um estudo, "os americanos têm uma visão positiva da Bíblia. E muitos dizem que as Escrituras cristãs estão repletas de lições morais para hoje. No entanto, mais da metade deles leem pouco ou nada da Bíblia".[4]

Talvez eu seja antiquado, mas mantenho minha Bíblia sempre à mão. É como a carta de amor de uma pessoa estimada. Quando recebemos uma carta de amor, desejamos lê-la repetidamente. Prestamos atenção a cada palavra. Notamos a pontuação. Lemos todas as linhas, e as entrelinhas também. Acho que é assim que deveríamos querer ler a carta de amor de Deus para nós. Toda vez que a leio, aprendo mais e mais sobre ele. Mais sobre seu amor por mim. Mais sobre seus propósitos para mim. Quando realmente amamos a Deus nós amamos sua Palavra, porque sabemos que ela é seu coração e sua mensagem para nós. Deus teve uma amizade face a face com Moisés e, por causa de seu Espírito em nós, podemos ter uma amizade face a face com ele lendo sua Palavra. É assim que passamos a conhecê-lo.

Essa ideia de ser conhecido pelo outro é poderosa. É a base da verdadeira amizade, e não pode acontecer sem que passemos tempo juntos. Vera Mae e eu decidimos que queríamos e precisávamos fazer um esforço para conhecer nossos bisnetos.

Não queremos deixar este mundo sem que eles nos conheçam e entendam quanto os amamos. Meu neto, então, disse que passaria a trazê-los nas noites de segunda-feira para brincar de esconde-esconde nesta velha e grande casa. Existem muitos armários onde eles podem se esconder. Eles ficam tão animados! Correm e se escondem, e eu dou o melhor de mim para encontrá-los. Agacho no chão para brincar com eles. Quando se preparam para ir embora, eles sobem até a cama da bisa e a beijam. Adoram isso. Eles estão nos conhecendo, e nós os estamos conhecendo. Dou o melhor de mim para me superar em meu amor por eles. Estou me divertindo ao me dar a conhecer a eles. Acho que Deus quer que o conheçamos assim. Ele quer que gostemos de conhecê-lo.

DEUS É SANTO

A ordem de Deus a Moisés para que tirasse as sandálias demonstra a realidade de seu caráter santo. Ele é diferente de tudo e de todos os outros. Não existe outro Deus como o nosso Deus! Moisés se dá conta de que não deveria estar lá, de que esse Deus é santo e que esse Deus — em cuja presença os anjos se levantam — veio para ser amigo dele. E ele fica impressionado com a verdade de que esse Deus santo e venerável levaria um pecador maltrapilho a um relacionamento amoroso. Moisés se enche de humildade e gratidão.

Amizade com Deus e gratidão. Essas duas coisas andam juntas. E constituem nossa fraqueza atualmente. Não temos o tipo certo de gratidão por Deus haver escolhido ser nosso amigo. Nós nos tornamos frios diante desse Deus maravilhoso, e ele passou a ser mais um fulano qualquer. Fizemos dele outro homem, e nosso coração se tornou indiferente diante dele. Perdemos a noção de quem ele é. Ele não é o "cara lá de cima" ou um "poder superior". É mais do que isso tudo. Ele é santo.

> Santo! Santo! Santo! Deus onipotente!
> Cedo de manhã cantaremos teu louvor. [...]
> Tu somente és santo; não há nenhum outro,
> Puro e perfeito, excelso Benfeitor.[5]

Moisés entendeu a ideia da santidade de Deus quando o conheceu como amigo: "Quem entre os deuses é semelhante a ti, ó SENHOR, glorioso em santidade, temível em esplendor, autor de grandes maravilhas?" (Êx 15.11).

Durante a jornada do Egito para a Terra Prometida, Moisés se encontrava com Deus diariamente. Ele o conheceu como Deus da libertação quando Deus milagrosamente abriu o mar Vermelho e permitiu que o povo de Israel atravessasse em terra seca. Ele o conheceu como Deus da provisão quando olhava para o chão todas as manhãs e via o maná enviado dos céus para alimentá-los em sua jornada pelo deserto. Mas nenhum encontro com Deus foi tão íntimo quanto o que ele experimentou na tenda, conforme descrito em Êxodo 33.7-11a:

> Moisés costumava montar uma tenda fora do acampamento, a certa distância dele, e a chamava de tenda da reunião. Quem quisesse fazer uma petição ao SENHOR ia até essa tenda, fora do acampamento.
>
> Sempre que Moisés se dirigia a essa tenda, todo o povo se levantava e permanecia em pé, cada um junto à entrada de sua própria tenda. Observavam Moisés até ele entrar na tenda. Logo que Moisés entrava, uma coluna de nuvem descia e ficava suspensa no ar, à entrada da tenda, enquanto o SENHOR falava com

ele. Quando o povo via a nuvem à entrada da tenda, cada um permanecia em frente à própria tenda e se curvava. *Ali o Senhor falava com Moisés face a face, como quem fala com um amigo.*

CADA VEZ MAIS SEMELHANTE A ELE

A intimidade de seu relacionamento com Deus transformava Moisés. Depois de tempo passado com Deus seu rosto brilhava, refletindo a glória divina. Ele tinha de cobrir o rosto, pois assustava as pessoas. Nossa amizade com Deus também deve nos transformar de modo que fique evidente para aqueles à nossa volta. O padrão de Deus para seus amigos é o seguinte: "Sejam santos, pois eu, o Senhor, seu Deus, sou santo" (Lv 19.2). Isso não significa alcançar a perfeição. Deus somente é perfeito. Mas devemos crescer e nos parecer cada vez mais com ele. Confessar nossos pecados e receber seu perdão e sua justiça. Isso significa crescer no amor aos outros. Obedecer quando ele nos instiga a amar pessoas que não queremos amar. Desenvolver-nos no perdão e na paciência com os outros.

Querer ser como Deus deve nos levar à amizade e ao relacionamento correto com os demais. Se dizemos que conhecemos a Deus e odiamos alguém, não somos santos. Se eu não gosto de pessoas que não se parecem comigo, não passei tempo suficiente com ele. Crescemos em santidade quando estamos em comunhão com Deus e uns com os outros. Oro para que eu seja transformado dia após dia a fim de me parecer mais com ele. Estou aprendendo que devo passar tempo com ele para que isso aconteça.

A águia se destina a uma vida solitária. Não há pássaro tão solitário; outros pássaros vivem em bandos — a águia nunca, dois no máximo juntos, e eles são parceiros. Sua majestade consiste, em parte, em sua solidão. Vive afastada porque outros pássaros não podem viver onde e como ela vive, nem seguir para onde ela vai. O verdadeiro filho de Deus deve aceitar uma vida solitária com Deus, e muitas vezes a condição para a santidade é a separação.[6]

Não acredito que Deus queira que nos separemos inteiramente do mundo, que vivamos como certas ordens religiosas, isoladas e meditando o dia todo, todos os dias. Mas ele espera que nos separemos daquelas pessoas e coisas que nos afastam da vida para a qual ele nos chama. Não sei se teria sido capaz de ouvir o chamado de Deus sem sair do Mississippi pela primeira vez. Eu precisava me afastar das influências negativas que me puxavam para baixo e me mantinham distanciado da lei. Estar separado para Deus pode significar ter de ser cuidadoso com as pessoas que escolhemos para ser nossos amigos. Como disse Colin Powell: "Um espelho reflete o rosto do homem, mas como ele é de fato se mostra pelo tipo de amigos que escolhe".[7]

DEUS É UM AMIGO MISERICORDIOSO

Moisés liderou o povo de Israel por muitos anos, até o final de sua vida. Imagino que tenha se frustrado com os israelitas e suas queixas constantes. Então, quando Deus lhe disse que falasse com a rocha para que dela fluísse água para o povo beber, Moisés desobedeceu a Deus. Em vez de falar com a rocha, falou bruscamente com o povo e golpeou a rocha (Nm 20.8-11). Deus o puniu por sua desobediência, recusando-se a permitir que Moisés entrasse na Terra Prometida.

Mais uma vez Deus mostrou que, embora deseje comunhão íntima e próxima, também exige obediência. Em sua misericórdia, porém, permitiu que Moisés contemplasse a Terra Prometida, o belo lugar onde o povo de Israel entraria.

A impaciência e o orgulho de Moisés levaram a melhor e o impediram de usufruir de seu trabalho após quarenta anos no deserto. Acredito que todos nós lutamos contra o orgulho de alguma forma. Eu me pergunto se os problemas de saúde com os quais estou lidando são a maneira pela qual Deus mantém meu orgulho sob controle. Minha saúde tem sido quase como um espinho na carne, lembrando-me constantemente de minha fragilidade, de que sem ele nada sou e que meu tempo para realizar o que ele me chamou para fazer é limitado.

No entanto, em sua misericórdia, ele me permitiu contemplar a Terra Prometida. Recentemente, tive o privilégio de falar na cidade de Stone Mountain, na Geórgia. Stone Mountain tem uma história difícil. Foi o local de renascimento da Ku Klux Klan em 1915, quando queimaram cruzes em seu cume. E foi ali que Filhas Unidas da Confederação mandaram entalhar imagens de três líderes confederados no paredão cinza. Nos cinquenta anos seguintes, queimaram ali cruzes no Dia do Trabalho.

> Deus conduziu. Moisés seguiu. Como ele está conduzindo você dia após dia? Você está passando tempo com ele e conhecendo-o melhor a cada dia?

Deus transformou o local e deu origem a um novo movimento alicerçado na oração — o OneRace Gathering [Reunião de uma só raça] — quando vinte mil jovens e outros, cansados dos conflitos e das divisões étnicas nos Estados Unidos, uniram forças.[8] No topo da montanha, eles me pediram que fizesse uma oração pelos jovens que estão empunhando a bandeira da reconciliação e dando continuidade à luta com valentia. Seu líder me pediu que proferisse uma bênção sobre aquela geração; e acho que deve ter sido algo assim para Moisés ao dar suas palavras de despedida a Josué, que ocuparia seu lugar na liderança do povo de Israel na Terra Prometida.

Fiquei muito emocionado por esse privilégio e senti a presença de Deus quando comecei a orar:

"Ó Deus dos céus, Deus dos céus e da terra, aqui estamos nesta rocha. E, Senhor, juntos podemos dizer que sobre esta sólida rocha — sobre Jesus, nosso Salvador —, sobre esta sólida rocha permaneceremos. E podemos dizer que todos os outros terrenos são areia movediça! Senhor, obrigado por esta geração. Agradeço-te por eles estarem escutando tua voz. E eles estão ouvindo tua voz. Estão trazendo a solidão e o sofrimento deles até você. O coração deles dói, adentra o sofrimento de outras pessoas. Ó Senhor, abençoa esta geração. Hoje é o dia deles. Eu vivi para ver isso. Eu ansiava por isso! Nossos antepassados ansiaram por isso. Então abençoa a geração do milênio. Dá ânimo a eles! Leva-os à praça pública. Que eles tragam almas perdidas à congregação local e as transformem em discípulos, para que possam sair e alcançar o mundo juntos. Ó Deus, abençoa esta geração! Sê com eles! Conduze-os! Em nome de Jesus!"

Foi uma das mais ternas misericórdias de Deus permitir que eu vivesse o suficiente para assistir àqueles milhares de jovens determinados a levar a mensagem de reconciliação e amizade a um mundo perdido. Quando descemos do monte, pude compartilhar com eles que a liderança não é uma posição, é um chamado. Deus chama líderes segundo sua própria escolha. Não podemos nos dar ao luxo de sentar e esperar que alguém nos dê uma posição para que possamos servir. Muitas vezes acontece de os rapazes serem treinados para atuar como diáconos. Acho que isso é bom... mas não é a palavra final. É desenvolvimento de habilidades. Mas o chamado de Deus requer escuta mais profunda. É um chamado mais profundo. Um chamado para toda a vida, que nos faz deixar todo o resto para trás e segui-lo. Devemos obedecer ao chamado de Deus a qualquer custo.

A amizade entre Deus e Moisés mostrou o conduzir e o seguir que marcaram o relacionamento deles. Deus conduziu. Moisés seguiu. Como ele está conduzindo você dia após dia? Você está passando tempo com ele e conhecendo-o melhor a cada dia?

Deus chama cada um de seus amigos para uma comunhão íntima, face a face com ele, assim como para uma fiel obediência a seus mandamentos. Ele é o amigo que deseja ser conhecido, e ele é santo. Assim como o xá Abas, ele se senta e comparte conosco a jornada da vida. Conhecê-lo como amigo é a maior das dádivas. Se ele é seu amigo, você nunca andará sozinho. As palavras a seguir, escritas por meu filho Phillip, ajudam a comunicar isso da melhor maneira:

> Ele me chama de amigo...
> Ele é um amigo como nenhum outro,
> com ele nunca andarei sozinho.
> Ele nunca critica os desesperados,
> ele gentilmente me leva em segurança para casa.
> Ele me chama de amigo... ele é o Alfa e o Ômega,
> o que ele disse, ele fará.
> Ele nunca diz que não me ajudará,
> sua preciosa Palavra é sempre verdadeira.
> Ele me chama de amigo.[9]

*"Mas Deus removeu Saul
e colocou em seu lugar Davi,
a respeito de quem Deus disse:
'Davi, filho de Jessé,
é um homem segundo o meu coração;
fará tudo que for da minha vontade.'"*

Atos 13.22

3

O Deus do perdão

Dois amigos caminhavam pelo deserto. Em certo ponto da jornada, eles discutiram e um amigo bateu na cara do outro.

O amigo que levou o tapa ficou magoado, mas sem dizer nada, escreveu na areia: "Hoje meu melhor amigo me bateu na cara".

Eles continuaram andando até que encontraram um oásis, onde decidiram tomar um banho. Aquele que levou o tapa ficou preso no lodo e começou a se afogar, mas o amigo o salvou. Depois de se recuperar do quase afogamento, ele escreveu em uma pedra: "Hoje meu melhor amigo salvou minha vida".

O amigo que bateu e salvou seu melhor amigo lhe perguntou: "Depois que o machuquei você escreveu na areia, e agora escreve em uma pedra. Por quê?". O outro amigo respondeu: "Quando alguém nos machuca, devemos escrever na areia, onde os ventos do perdão podem apagar. Mas quando alguém nos faz algo bom, devemos gravar na pedra, onde vento nenhum pode apagar".[1]

O perdão é de extrema importância, e não se pode ter uma verdadeira amizade sem ele. Ser humano é falhar. Nós cometemos erros. Machucamos uns aos outros. Perdoar é tomar a decisão de cancelar uma dívida em vez de acusar o devedor. Fico feliz, pois quando ofendemos a Deus ele escreve na areia, onde os ventos do perdão podem apagar. Aprendi muito sobre isso com a história de Davi. Ela me encheu de esperança. Se Deus pôde perdoar Davi e continuar sendo amigo dele, certamente me perdoaria pelo meu passado e pelas coisas que faço dia após dia e lhe entristecem o coração.

DEUS ESCOLHE UM PECADOR

Davi era outro dos líderes improváveis de Deus. Era o filho mais novo e de menor estatura de Jessé. Quando o profeta Samuel veio visitar Jessé com a mensagem de que Deus o havia enviado para escolher um de seus filhos e ungi-lo, a expectativa era de que certamente seria um dos jovens altos e bonitos. (A história se encontra em 1Samuel 16.1-13.) Mas Samuel passou por todos eles e fixou os olhos em Davi, o pastor magricela. Davi construiria sua reputação ao matar o gigante Golias e ser vitorioso em batalhas. Ele foi a escolha de Deus como rei.

Mas um olhar errante provou ser uma fraqueza para Davi. Após se tornar rei, decidiu ficar em casa enquanto seu exército estava em batalha. Do alto do palácio, viu a bela Bate-Seba e mandou buscá-la. Passou a noite com ela e mais tarde ela enviou a notícia de que estava grávida. Ele planejou encobrir seu pecado chamando o marido dela, Urias, de volta da linha de frente da batalha, supondo que ele ficaria feliz em passar a noite com a esposa. Assim, as pessoas pensariam que a gravidez era resultado desse encontro. Mas o plano de Davi não teve sucesso. O marido se mostrou um homem muito mais honrado do que Davi e não se aproveitou da oportunidade de ficar com a esposa enquanto seus companheiros no exército guerreavam. Então Davi o colocou em uma posição na batalha na qual ele certamente seria morto, e assim aconteceu. Davi tomou para si Bate-Seba, a esposa de Urias.

Deus julgou o pecado de Davi tirando a vida do bebê. E assim a história de Davi deveria ter chegado ao fim. Se eu a estivesse escrevendo, provavelmente a terminaria nesse momento. Do ponto de vista humano, o pecado de Davi era grave demais para que ele continuasse amigo de Deus e fosse para o céu. E se Davi fosse outro homem, sua história poderia ter terminado dessa forma. Mas Davi mostrou o que havia em seu coração pelo que fez a seguir. Ele clamou ao Deus do céu, suplicando perdão:

> Tem misericórdia de mim, ó Deus,
> > por causa do teu amor.
> Por causa da tua grande compaixão,
> > apaga as manchas de minha rebeldia.
> Lava-me de toda a minha culpa,
> > purifica-me do meu pecado.
>
> Pois reconheço minha rebeldia;
> > meu pecado me persegue todo o tempo.
> Pequei contra ti, somente contra ti;
> > fiz o que é mau aos teus olhos.
> Por isso, tens razão no que dizes,
> > e é justo teu julgamento contra mim.
>
> Salmos 51.1-4

Esse foi o arrependimento de Davi por causa de seu pecado. Ele estava quebrantado e contrito. Ficou arrasado ao pensar que havia feito algo tão vil contra outro ser humano. Ele usara seu poder para tirar vantagem de outra pessoa, e agravara esse erro matando um homem inocente. Entendeu que um pecado contra qualquer pessoa é um pecado contra Deus. E estava desesperado para ficar bem com Deus novamente. Ao mesmo tempo, sentia-se humilhado ao pensar que poderia voltar a ficar bem com um Deus santo em vista das coisas que havia feito. Essa é a beleza do arrependimento. É uma ferramenta que Deus usa para nos atrair de volta para si.

O quebrantamento de Davi por seu pecado é um modelo para nós. Receio que tenhamos perdido o senso de vergonha e arrependimento pelo pecado. Raramente usamos a palavra "pecado". Falamos sobre cometer erros, falhar, mentir com boas intenções. Mas Deus chama isso tudo de pecado, seu coração se entristece e, embora isso não altere seu amor incondicional por nós, certamente afeta nossa comunhão e amizade. Mas, quando reconhecemos nosso pecado e clamamos a ele, somos perdoados. Como afirma Francis Chan, isso é louco amor! Deus escreve nossos pecados na areia, onde os ventos do perdão podem levá-los embora!

> Houve tempos de raiva e desobediência quando me senti longe, bem longe dele. No entanto, toda vez que clamei por ele, perto ele estava. Ele me trouxe de volta. A amizade com Deus é assim.

Quando Vera Mae e eu lemos a história de Davi juntos, comecei a sentir e relembrar os pecados que cometi depois que nos casamos. Houve um período, logo no início, tão logo voltei do exército, em que não agi como um marido deveria agir. Fui infiel. Não era verdadeiro em relação a meus votos, e minhas ações causaram muita dor a Vera Mae. Bastou ler a história para que meus pecados voltassem à minha memória. Lamentei tudo de novo. Vera Mae me perdoou e se comprometeu a me amar como uma esposa ama o marido. Ainda penso nisso hoje, especialmente nos últimos tempos, quando cuido dela. É um privilégio imerecido. Esse é o ponto em que eu mais me conecto com Davi. Acordo todas as manhãs agradecido por Deus me amar, apesar do meu passado. Por ele ser meu amigo, apesar de eu continuar pecando. Tenho até algum receio de não estimar devidamente o amor e a amizade dele, e não quero nunca fazer isso.

DEUS PERDOA O PECADOR ARREPENDIDO

Andraé Crouch sabia algo sobre o quebrantamento que ocorre quando nosso pecado nos leva a um lugar distante. Sua música "Take Me Back" [Leva-me de volta] é linda porque expressa como nos sentimos quando nossa amizade com Deus é interrompida:

> Sinto estar tão longe de ti, Senhor,
> Mas ainda ouço tua voz a me chamar;
> As coisas simples de outrora
> A mim continuam a atrair.
> Devo confessar, Senhor, abençoado tenho sido,
> Mas minh'alma não se contenta.
> Renova minha fé, restaura minha alegria
> E seca as lágrimas de meus olhos [...].
> Leva-me de volta, leva-me de volta, querido Senhor,
> Para o lugar onde te recebi pela primeira vez.[2]

Essa música descreve uma condição de quebrantamento. É um pedido de perdão. Para que Deus nos leve de volta àquele lugar de estreita amizade e comunhão com ele. Esse deve ser o clamor de nosso coração sempre que nos sentirmos distantes, levados para longe por nossos pecados. Esse tem sido o clamor de meu coração repetidamente durante meus longos anos de conhecimento do Senhor. Houve tempos de raiva e desobediência quando me senti longe, bem longe dele. No entanto, toda vez que clamei por ele, perto ele estava. Ele me trouxe de volta. A amizade com Deus é assim. É saber que, não importa quão longe vaguemos, ele está esperando de braços abertos para nos trazer de volta e nos perdoar. Ele é o Deus que perdoa.

Certa vez, perguntaram ao presidente Lincoln como ele trataria os sulistas rebeldes quando estes finalmente fossem derrotados e retornassem à União. O interlocutor esperava que Lincoln se vingasse terrivelmente, mas sua resposta foi: "Vou tratá-los como se nunca tivessem ido embora".[3]

Deus é assim. Quando perdoa, ele nos trata como se nunca houvéssemos errado. Ele lança nossos pecados no mar do esquecimento e coloca lá uma placa de "proibido pescar".

Henri Nouwen disse o seguinte sobre o perdão:

> O perdão tem dois lados: dar e receber. Embora, à primeira vista, perdoar pareça mais difícil, muitas vezes o que acontece é que não somos capazes de oferecer perdão aos outros porque não conseguimos recebê-lo por completo. Somente como pessoas que aceitaram o perdão é que podemos encontrar a liberdade interior para concedê-lo.[4]

Nós realmente não podemos perdoar até que tenhamos recebido o perdão de Deus. E não podemos receber perdão dele até que estejamos arrependidos e de coração contrito.

O OUTRO LADO DO PERDÃO

Quando Deus nos perdoa, devemos aceitar o perdão dele e de outros que o oferecem — esse é o outro lado do perdão. Sabemos pelas Escrituras que Davi aprendeu essa lição. Ele se viu forçado a fugir porque seu filho Absalão o desafiou pelo trono. Enquanto fugia de Jerusalém, foi amaldiçoado por Simei, um parente de Saul que disse que ele merecia ser expulso de seu próprio reino (ver 2Sm 16.5-13). Era impensável que alguém falasse assim com o rei. Davi poderia mandar matá-lo ali mesmo por essas palavras. Mas Davi escolheu poupar a vida de Simei porque compreendia a soberania de Deus. "Deixem-no em paz. Que ele me amaldiçoe, pois foi o Senhor que o mandou. Talvez o Senhor veja que tenho sido injustiçado e me abençoe por causa dessas maldições de hoje" (2Sm 16.11b-12).

No entanto, quando Absalão foi morto e Davi retornava vitorioso para reivindicar sua posição legítima no trono, foi Simei quem o encontrou no caminho e pediu perdão (2Sm 19.16-23). Quando os homens de Davi sugeriram que Simei deveria morrer por ter amaldiçoado o rei, Davi disse a Simei: "Sua vida será poupada". Davi havia aprendido a lição do perdão. Aqueles que foram muito perdoados devem estar prontos para perdoar generosamente.

Penso muito sobre isso hoje. Suponho que foi isso que alimentou meu zelo em amar a todos. Lembro-me do pesado fardo de raiva e amargura que carregava. Sentia raiva por ser maltratado tão somente pela cor de minha pele. Sentia raiva pelo que aconteceu a meu irmão Clyde. Sentia raiva dos sistemas operantes no Mississippi que mantinham meu pessoal em um subnível de vida. Eu sentia raiva. Era uma raiva profunda e permanente. Ela iria explodir e destruir a mim e a todos ao meu redor — ou Deus a teria de tirar de mim e me mostrar como seguir em frente. E foi o que ele fez. Ele me perdoou por meus pensamentos de vingança. Ele me perdoou por tudo isso. E ele me mostrou como canalizar essa energia para um trabalho que fosse do seu agrado.

Isso foi muitos anos atrás. E estou cheio de gratidão por o Senhor ter feito isso em meu coração. Mas a verdade é que ele teve de retomar esse trabalho em meu coração repetidas vezes.

Quando ouço falar sobre maus-tratos a pessoas e vejo o que está acontecendo de errado bem diante dos meus olhos, tenho de entregar a raiva a ele. E tenho de perdoar aqueles que estão perpetrando os maus-tratos, porque fui muito perdoado.

Meus amigos dizem que venho falando sobre morrer nos últimos quarenta anos, e eles riem. Acho que estou descobrindo que Deus quer que vivamos com essa morte da antiga natureza. Quando o apóstolo Paulo disse que precisava "morrer diariamente" (1Co 15.31), acho que era a isso que ele se referia. Não quero meus pensamentos antigos. Preciso diariamente me lembrar de que morri para aquele eu antigo que nutria raiva e ódio. Regozijo-me em saber que ele me perdoou. Mas seu perdão me assusta. Tenho medo de começar a pecar sabendo que sua graça é tamanha. Temos de viver dentro dessa tensão.

Pode ser isso o que está faltando hoje. Há muita raiva. Todo mundo parece estar com raiva de uma ou de outra coisa. Expressamos essa raiva com palavras que destroem e ações que dividem. Pecamos e encobrimos nossos pecados em vez de confessá-los. Fomos vitimados por nossa própria falta de perdão. Fazemos isso como indivíduos e como nação. E nosso coração endureceu, guardando dentro de si toda essa raiva e pecado. Deus é o amigo que pode lidar com toda a nossa raiva. Ele pode curar nossas mágoas e nos dar propósito e direção. Mas devemos nos arrepender de nosso pecado, como fez Davi.

DEUS É O BOM PASTOR

No quebrantamento de Davi, ele clamou a Deus que o perdoasse. Acredito que Deus sempre responde a essa oração. E quando ele respondeu à oração de Davi restaurando sua alegria, Davi o conheceu de tal maneira que poucas pessoas podem afirmar que o conhecem. Ele conheceu a Deus como pastor. Aprendeu muito sobre amizade com Deus ao longo do caminho. O salmo 23 é um guia que nos ensina quem Deus é para seus amigos:

> O Senhor é meu pastor,
>   e nada me faltará.
> Ele me faz repousar em verdes pastos
>   e me leva para junto de riachos tranquilos.
> Renova minhas forças
>   e me guia pelos caminhos da justiça;
>   assim, ele honra o seu nome.
> Mesmo quando eu andar
>   pelo escuro vale da morte,
> não terei medo,
>   pois tu estás ao meu lado.
> Tua vara e teu cajado
>   me protegem.
> Preparas um banquete para mim
>   na presença dos meus inimigos.
> Unges minha cabeça com óleo;
>   meu cálice transborda.
> Certamente a bondade e o amor me seguirão
>   todos os dias da minha vida,
> e viverei na casa do Senhor
>   para sempre.

Quando li as palavras desse salmo, soube que Davi conhecia a Deus intimamente. Ele usou uma metáfora para descrever a Deus com a qual estava muito familiarizado. Davi sabia o que significava ser um pastor. Ele cuidara das ovelhas de seu pai em Belém. Ele as protegera dos leões e dos ursos. E ele sabia como são as ovelhas. As ovelhas têm sido descritas como animais não muito inteligentes. Elas precisam de alguém que cuide delas o tempo todo. Elas não sabem se defender. Precisam ser levadas a pastagens para comer e a águas limpas para beber. Se uma delas pular de um penhasco, todas as demais a seguem. Se elas se perdem, não conseguem encontrar o caminho de volta. Como pastor, Davi carregava uma vara e um cajado para resgatá-las caso alguma delas caísse de um penhasco ou precipício.

Ovelhas são incapazes de se socorrer sozinhas. Mas são únicas porque conhecem a voz de seu pastor. É comum em culturas nômades misturar rebanhos. No entanto, quando seu pastor chama, as ovelhas reconhecem. Imagino que Deus se referiu a seu povo como ovelhas porque queria que sempre lembrássemos que dependemos dele para tudo. Ele é nosso pastor. É ele quem traça nosso caminho, porque não sabemos para onde ir. Em seu caminho para tornar-se rei, Davi se viu diante de inúmeras adversidades, como as perseguições de Saul e as conspirações de seu próprio filho para derrubá-lo do poder. Contudo, foram essas dificuldades ao longo do caminho que o ajudaram a conhecer a Deus como o amigo que é um pastor.

Se dependesse apenas de mim, eu certamente nunca teria retornado para viver no Mississippi. Mas ele sabia que era lá onde eu deveria estar a fim de obedecer ao chamado para minha vida. Ele é o pastor que conduz. Ele é capaz de nos guiar até pelo escuro vale da morte e nos manter a salvo de todo mal.

Davi ficou conhecido como o maior rei de Israel. Era um líder, e seu exemplo nos mostra como deve ser a liderança temente a Deus. Imperfeita, sim. Mas que procura agradar a

Deus. E quando chega o fracasso, como sempre acontece, o líder temente a Deus reconhece seu pecado e clama por perdão.

Sou constantemente lembrado de quanto preciso desse Pastor. E também tenho sido lembrado de quanto minha vida tem sido marcada pelo perdão. Devo perdão a todos os que me machucaram. Existem pessoas que Deus está levando você a perdoar? Ele pode ajudá-lo a fazer isso.

Bruce Larson conta sobre um cartum que apareceu na *New Yorker*. "Esta é a quarta vez que matamos um bezerro gordo", diz um pai frustrado ao filho pródigo.[5] Mas Deus não faz isso de novo e de novo por nós? Sou grato por Deus não se frustrar nem se enraivecer quando volto em busca de perdão por um pensamento ou ação pecaminosa. Ele continua matando bezerros gordos, e continua escrevendo nossos pecados na areia para que os ventos do perdão possam soprá-los.

Aprendi muito sobre a verdadeira amizade observando como Deus interagiu com Abraão, Moisés e Davi. Deus é perseverante. Ele vai atrás daqueles que estão em seu coração, buscando a amizade deles. Deus é santo, mas quer amizade face a face conosco. Quer estar perto de nós. E ele perdoa até o pior dos pecadores. Perdoa e não joga o pecado na nossa cara. Ele é esse tipo de amigo, e nos mostra como é a verdadeira amizade.

Considero minha esposa e meus amigos os maiores presentes de Deus para mim. Deus os usou para me fortalecer e encorajar ao longo de minha jornada. Um desses amigos especiais é Ken Smith. Deus nos uniu há muitos anos, e uma das coisas que aprendi em minha amizade com Ken é que a amizade é para sempre. Vou deixar Ken compartilhar isso com suas próprias palavras.

Vamos ouvir Ken Smith:

Amizade
É PARA SEMPRE

Meu querido amigo John Perkins pediu que eu refletisse sobre nossa amizade. É uma grande alegria para mim, pois nossa amizade é um elo precioso em minha caminhada com Cristo. Minha amizade com John começou da maneira mais peculiar, e o plano de Deus para essa profundidade me era desconhecido por algum tempo.

Eu estava participando de uma conferência da Christian Community Development Association [Associação Cristã de Desenvolvimento Comunitário] realizada no Instituto Bíblico Moody. Todas as manhãs havia um estudo bíblico às oito horas, e o professor era John Perkins. Uma noite, conversei brevemente com John, mas foi uma conversa curta, sem grande importância. No entanto, na manhã seguinte após esse breve encontro, eu estava sentado na primeira fila, esperando que aquele maravilhoso período de ensino começasse, quando John atravessou o palco todo desajeitado, se aproximou de mim e disse: "Ken, como você está esta manhã? Você quer ser meu amigo?".

Respondi: "Claro, quero ser seu amigo".

Ao que John respondeu: "Quero dizer para sempre!".

Agora eu sei que foi a perfeita vontade de Deus que essas palavras fossem ditas, pois elas serviram como uma espécie de amarra, ou âncora, para impedir que eu me afastasse desse compromisso relacional de ser amigo de John para sempre. Uma das coisas que meu pai me ensinou foi não esquecer meus compromissos com os outros, e só agora, em retrospecto, consigo avaliar o valor de seu ensinamento.

Tive algum contato com John depois desse período, mas acabamos perdendo o contato durante vários anos. Um dia, porém, quando eu estava em uma situação de profundo desespero, Deus me levou a ligar para o John. Quando ele atendeu e eu me identifiquei, ele disse: "É Ken Smith, da cidade de Des Moines? Por onde você andou, irmão? Não tenho notícias suas há muito tempo!".

Tão clara foi a mensagem do Espírito Santo nessa conversa simples, mas amorosa, entre dois seguidores de Jesus, que ela representaria o começo de uma amizade profunda e significativa que mudaria o curso de minha vida e me ajudaria a entender o que Deus deseja que haja entre nós e ele: verdadeira amizade para sempre!

Uma das coisas que definem nossa amizade é a paixão mútua por conhecer a verdade e ser liberto; em outras palavras, por experimentar a vida ao máximo. Que privilégio maravilhoso é ter esse relacionamento e o entendimento que o acompanha!

Acredito que a amizade deve ser definida tanto pelo que ela é quanto pelo que não é. É um desejo do coração por algo que não pode ser preenchido por nenhuma outra coisa que não a própria amizade. A verdadeira amizade não é algo que seja preciso reafirmar todos os dias; em vez disso, é uma garantia profunda de relacionamento com a qual se pode contar e na qual se pode confiar quaisquer que sejam as circunstâncias ou os desafios envolvidos.

A amizade está profundamente enraizada na transparência e na honestidade. Está firmada no terreno comum do arrependimento e do perdão. É duradoura em vez de temporária. A amizade é a própria vida — a vida real. E dura para sempre.

Costumo ponderar na seguinte questão: por que o Senhor me concederia tempo e presença junto a um homem que ele tem utilizado no trabalho de seu reino de modo tão impactante? Ele é reconhecido pela sabedoria que Deus lhe deu, e recebeu dezesseis títulos de doutor honorário. O que tenho a oferecer a esse homem que justifique nosso tempo juntos?

Bem, agora eu sei. É para que eu compartilhe sua tristeza quando ele sentir dor, para que divida uma refeição com ele na presença de amigos, para que o apoie em seu chamado para contar aos outros as boas-novas do sacrifício de Jesus e da reconciliação nele, para que eu me reúna com sua família e sinta a alegria de ser aceito e amado por eles, para que eu tenha uma visão da necessidade de construir comunidades centradas em Cristo e depois apoiar aqueles que ouviram a mensagem que Deus quis que John proclamasse e que estão dando duro para pô-la em prática. Para que eu ria e me alegre com ele e compartilhe os dons que Deus me permitiu desfrutar e o veja desfrutá-los também. Eu poderia continuar a lista, mas ela se resume ao seguinte: para que eu seja amigo dele, como ele é meu amigo, pois ele compartilha todos os seus dons comigo e eu compartilho os meus com ele, a fim de que juntos apreciemos nossa amizade e cresçamos na amizade que temos com Deus por meio de Jesus Cristo.

"Você será meu amigo para sempre?" Em essência, é isso que oferece Jesus, nosso Messias e Salvador, e também é o que John e eu compartilhamos. E, se podemos encontrar grande alegria em sentar na varanda dos fundos em meu rancho lá em Montana, admirando a beleza da criação e glorificando a Deus nela, então o que nos espera na plenitude dessa amizade?

Que grande privilégio tem sido e ainda é fazer parte dessa amizade e aguardar ansiosamente tudo o que Deus fará por meio dela nos dias por vir.

Obrigado, irmão John, por ser meu amigo. Amo muito você!

KEN SMITH
Ken é um investidor imobiliário que mora em Urbandale, Iowa.

Parte 2

AMIZADE COM JESUS

*"Não fosse por tua misericórdia, Senhor,
meus pecados me dominariam e me separariam de ti.
Fico maravilhada pela transformação
que realizaste em minha vida despedaçada,
tornando-a algo que tu podes usar para tua glória."*

Ruth Bell Graham

4

O Deus que veio a nós

Numa noite fria de inverno, um homem ouviu batidas surdas na porta externa de sua cozinha. Ele foi até a janela e observou pequenos pardais trêmulos, atraídos pelo evidente calor que vinha de dentro, batendo em vão contra o vidro.

Comovido, o camponês se agasalhou e caminhou pela neve fresca a fim de abrir o celeiro para os pássaros que se esforçavam para entrar. Acendeu as luzes, jogou um pouco de feno em um canto e espalhou uma trilha de bolachinhas salgadas para guiá-los ao celeiro. Mas os pardais, que haviam se dispersado quando ele saiu da casa, ainda estavam escondidos na escuridão, com medo do camponês. Ele tentou várias táticas... mas nada funcionou. Ele era como uma criatura alienígena enorme aterrorizando os pássaros, que não entendiam sua intenção de ajudar.

O homem voltou para casa e observou os pardais condenados através de uma janela. Enquanto olhava, um pensamento o atingiu como um raio clareando o céu: "Se eu pudesse me tornar um pássaro — ser um deles — apenas por um momento... então eu não os assustaria. E poderia mostrar-lhes o caminho para o calor e a segurança". Um homem se tornar um pássaro não é nada comparado a Deus se tornar um homem. A ideia de um ser soberano tão grande quanto o universo que ele próprio criou confinar-se em um corpo humano era — e é — demais para algumas pessoas acreditarem.[1]

Mas foi o que ele fez. O grande Deus do céu veio na forma de um ser humano para resolver nosso problema de relacionamento. Chamamos a isso encarnação. A encarnação o trouxe da eternidade e o constituiu em carne e osso.

Estávamos condenados como os pardais. Mas Deus decidiu vir até nós na forma de um homem. Foi de Jesus que se falou no jardim do Éden quando Adão e Eva pecaram e foram expulsos, para nunca mais voltar. Quando Deus disse à serpente que um descendente da mulher esmagaria sua cabeça, estava falando de Jesus (Gn 3.15). Jesus era o Deus-homem. Era Deus feito homem que veio a este mundo para refazer o que havia sido desfeito no jardim do Éden.

O PROBLEMA DO PECADO

No jardim, Adão e Eva tinham comunhão face a face com Deus antes de pecarem. Mas o pecado desfez a comunhão. E, a partir daí, o povo de Deus precisou oferecer sacrifícios por seus pecados, a fim de restaurar a comunhão com Deus. Deus forneceu os Dez Mandamentos para que seu povo soubesse o que ele esperava que fizessem, como eles deveriam viver. Mas ninguém foi capaz de viver sem violar aquelas regras.

Todo o povo de Deus do Antigo Testamento aguardava ansiosamente o dia em que viria alguém capaz de satisfazer os mandamentos de Deus de viver sem pecado. Eles honraram Abraão como o pai da fé, mas sabiam que ele pecava. Pelo menos duas vezes Abraão mentiu e disse que Sara era sua irmã no intuito de se proteger e salvar sua vida. Eles amavam Moisés por ter conduzido o povo pelo deserto e para a Terra Prometida, mas se lembravam de que ele batera na rocha e não recebera permissão para entrar. E todos sabiam do pecado de Davi com Bate-Seba. Ficou claro que ninguém poderia viver sem pecado. Então, Abraão oferecia sacrifícios, Moisés oferecia sacrifícios e Davi oferecia sacrifícios (Gn 22.13; Êx 29.42; 2Sm 6.13). O pecado exigia sacrifício. E os sacrifícios precisavam ser oferecidos repetidamente.

Uma vez por ano, no Dia da Expiação, todo o povo de Israel se reunia e o sacerdote trazia dois bodes. Um seria sacrificado para pagar pelos pecados do povo, e o outro seria libertado.

> Quando Arão terminar de fazer expiação pelo lugar santíssimo, pela tenda do encontro e pelo altar, apresentará o bode vivo. Colocará as duas mãos sobre a cabeça do bode e confessará sobre ele toda a maldade, a rebeldia e os pecados dos israelitas. Assim, transferirá os pecados do povo para a cabeça do bode. Depois, um homem escolhido especialmente para essa tarefa levará o bode para o deserto. Ao sair para o deserto, o bode levará sobre si todos os pecados do povo para um lugar distante.
>
> Levítico 16.20-22

Esse bode era conhecido como bode expiatório e representava aquele que levaria os pecados do mundo. Esse alguém era Jesus. Ele viria e seria o sacrifício definitivo pelo pecado, para que não houvesse mais necessidade de sacrificar bodes, ovelhas e pombos. Ele daria sua vida para que a amizade e a comunhão desfeitas com Deus pudessem ser finalmente restauradas.

DEUS: NASCIDO EM UMA MANJEDOURA

Na plenitude do tempo, Deus irrompeu na história como um bebê em uma manjedoura. Isso me surpreende. O Deus da criação, que é todo-poderoso, soberano, santo, eterno e muito mais, escolheu vir a este mundo como um bebê indefeso, nascido de uma virgem pobre casada com um carpinteiro. Não é de admirar que a amizade com Deus exija humildade. Sua humildade para se rebaixar a uma posição tão inferior deveria nos motivar a responder com humildade a ele e aos outros.

Hoje em dia é difícil encontrar humildade. Não é uma qualidade desejável em uma cultura que promove o orgulho e o poder. O que é humildade?

> Humildade é a perfeita quietude de coração. É não esperar nada, não me admirar de nada que acontece comigo, não sentir nada que é feito contra mim. É ficar tranquilo quando ninguém me elogia e quando sou acusado ou desprezado. É ter um lar abençoado no Senhor, onde posso entrar, fechar a porta e ajoelhar-me em segredo diante do Pai, e estar em paz como em um mar profundo e sereno, quando tudo ao redor e acima é uma confusão só.[2]

Meu amigo Dr. Tony Evans diz o seguinte:

> No futebol americano, eles dizem à linha ofensiva: independentemente de seu tamanho, fique abaixado. Para ter um bom posicionamento, fique abaixado. Não importa quão valoroso você seja na vida, fique abaixado. Não importa qual é o título antes do seu nome, quanto dinheiro tem no banco ou quantas pessoas sabem quem você é, fique abaixado. No momento em que usar seu conhecimento, prestígio, poder ou recursos para tentar ser como Deus, ficará muito claro, muito depressa, que existe apenas um Deus. Humilhe-se sob a poderosa mão dele.[3]

Gosto dessa definição de humildade: fique abaixado. Foi isso que Deus fez quando se revestiu de carne e veio habitar entre nós. O bebê nascido em uma manjedoura veio para nos mostrar como viver sem pecado e, por fim, para morrer por nossos pecados. Ele viveu em santidade. Constantemente lembrava os outros de que tinha de cuidar das coisas de seu Pai. Foi obediente a Deus em todas as coisas. E convidou todos para serem seus amigos. "Venham a mim todos vocês que estão cansados e sobrecarregados, e eu lhes darei descanso. Tomem sobre vocês o meu jugo. Deixem que eu lhes ensine, pois sou manso e humilde de coração, e encontrarão descanso para a alma" (Mt 11.28-29).

O DEUS QUE CARREGA NOSSOS FARDOS

Quando Jesus nos convida a nos unirmos a ele, trata-se de um convite à amizade. Quando se colocam dois bois em um jugo, o objetivo é ajudar os animais a puxar a carga juntos. Quando ouvem o som do chicote, eles se movem para a frente e puxam a carga. Quando dividimos o jugo com Jesus, ele puxa a carga conosco. O estalo do chicote é a voz dele. "Chamo minhas ovelhas pelo nome. Elas me conhecem." Com Jesus, nós nos reunimos quando ouvimos sua voz. Somos capazes de suportar inúmeros problemas, provações e estresse quando estamos unidos e nos tornamos amigos de Jesus. Nunca estamos sozinhos. Pelo resto da vida, nunca andaremos sós.

Muitas pessoas estão vivendo sob um fardo pesado e precisam saber que Jesus carregará esse fardo e entrará no jugo com eles. Preguei uma mensagem em uma igreja na Pensilvânia há pouco tempo. Falei sobre como Deus ama a todos, a despeito de quem somos. No final do culto, uma jovem veio até mim. Ela estava lutando com sua sexualidade. Estava com o espírito quebrantado. Tenho certeza de que ela havia sofrido bastante rejeição. Parecia arrasada. Eu disse a ela: "Jesus ama você! Ele quer ser seu amigo". Ela desabou nos meus braços. Estava tão quebrantada que mal podia ficar em pé. Eu queria encarecidamente que ela conhecesse a profundidade do amor de Jesus por ela, o quanto ele queria ser seu amigo. Acredito que precisamos de mais compaixão. Ter compaixão é entrar na dor do outro. Jesus entra em nossas dores e tristezas.

Em Jesus amigo temos,
Mais chegado que um irmão,
Ele manda que levemos
Tudo a Deus em oração!
Oh! que paz perdemos sempre,
Oh! que dor no coração,
Só porque nós não levamos
Tudo a Deus em oração![4]

SEU CÍRCULO DE AMIGOS

A vida de Jesus foi marcada por amizades especiais. Para mim, isso é mesmo incrível. Ele era Deus encarnado e poderia ter feito o que quisesse. Mas escolheu investir na vida das pessoas. Escolheu doze discípulos e fez deles seus amigos. E dentro desse grupo de doze havia três que formaram seu círculo íntimo de amigos: Pedro, Tiago e João. Eles estiveram com Jesus em momentos cruciais de sua vida. Estiveram no topo do monte quando ele foi transfigurado e falou com Moisés e Elias. Estiveram com ele quando ressuscitou a filha de Jairo. E estiveram com ele no jardim do Getsêmani, antes que o levassem para ser crucificado. Em momentos de grande importância, esses três amigos especiais estiveram com Jesus.

E mesmo dentro desse círculo interno de amigos havia um que era conhecido como "o discípulo a quem Jesus amava" (Jo 13.23). Era João. Foi ele o discípulo que recostou a cabeça no peito de Jesus na Última Ceia. Adoro essa cena. João podia sentir o cheiro de Jesus, tocar sua fronte, ouvir as batidas de seu coração, ver a angústia em seu rosto, provar sua tristeza. Com todos os cinco sentidos, ele soube que Jesus era verdadeiramente o Deus-homem. Ele era Emanuel, "Deus conosco".

João era conhecido como um dos Filhos do Trovão. Conheceu Jesus quando ele e seu irmão Tiago pescavam no mar da Galileia. Tão logo Jesus os chamou para segui-lo, eles largaram suas redes de pesca e o seguiram (ver Mt 4.18-22). João nos mostra o que significa caminhar pela vida tendo o amor e a amizade de Jesus como companhia constante. Ele desenvolveu amor profundo e duradouro por Jesus e escreveu suas cartas para convencer as pessoas de que Jesus era o Filho de Deus. Ele ficou impressionado com o amor divino, como exclama em 1João 3.1: "Vejam como é grande o amor do Pai por nós, pois ele nos chama de filhos, o que de fato somos! Mas quem pertence a este mundo não reconhece que somos filhos de Deus, porque não o conhece".

João ficou tão cativado por sua amizade com Jesus que escreveu seu evangelho para ajudar todos a saberem que Jesus era o Filho de Deus e que ele deu a vida para salvar os pecadores. Disse que Jesus fez tantas coisas diante de seus discípulos que ele, João, era incapaz de escrever sobre todas elas. Mas ele escreveu para que pudéssemos saber que Jesus era esse Deus manifestado em carne, que viveu na terra, foi crucificado, ressuscitou e voltou ao céu. E agora ele espera que seus amigos deem continuidade a sua missão no mundo. Sua missão é fazer que todos saibam que Deus os ama e quer ser amigo deles: "Porque Deus amou tanto o mundo que deu seu Filho único, para que todo o que nele crer não pereça, mas tenha a vida eterna" (Jo 3.16).

Ele prosseguiu com a mensagem do amor de Deus em suas três epístolas, ou cartas, e disse que todo mundo que é amigo de Jesus deve amar todo mundo. Não podemos amar a Deus, que nunca vimos, e afirmar que odiamos uma pessoa que vemos

> Quando desfrutamos a amizade de Deus, nosso coração é transformado e transbordamos de amor pelos outros.

todos os dias. Ele vinculou amizade e relacionamento com Deus à amizade e ao relacionamento com os outros. Eu amo o Senhor de todo o meu coração, e sei que ele faz que esse amor transborde para a vida de outras pessoas. Quando desfrutamos a amizade de Deus, nosso coração é transformado e transbordamos de amor pelos outros. Ele nos transforma. Ele reproduz seu amor em nosso coração e, no processo, nos tornamos pessoas que amam. Permitir que esse amor transborde tem sido minha maior alegria.

AMIGO INTENCIONAL

Jesus quis se tornar amigo de seus discípulos. Ele passou tempo com eles; por quase três anos, dividiu a vida com eles. Compartilhou seu coração com os discípulos: "Já não os chamo de escravos, pois o senhor não faz confidências a seus escravos. Agora vocês são meus amigos, pois eu lhes disse tudo que o Pai me disse" (Jo 15.15). Ele os ensinou em todas as oportunidades. Eles o viram chorar junto à sepultura de seu amigo Lázaro. Ele se tornou vulnerável a eles, o que é um ato de humildade.[5] Seu exemplo ajuda a nos conectarmos com as pessoas porque mostra que não somos muito diferentes uns dos outros. Que modelo de verdadeira amizade!

Hoje, as pessoas falam sobre "amigos para todas as horas". É alguém que estará do nosso lado, não importa o que aconteça na vida. Em minha juventude, chamávamos isso de "irmão de sangue". Há uma lição crucial sobre amizade nessa história. Todo mundo precisa de bons amigos para dividir a vida; mas durante um aperto precisamos do amigo para todas as horas. Jesus tinha isso nesse círculo interno de homens, especialmente com João. Se Jesus, o Deus-homem, que era todo-poderoso e sabia todas as coisas, precisava de amigos e os queria, acho que todos nós precisamos de amigos em nossa vida. Acredito que há um profundo desejo em nosso coração por amizades verdadeiras e significativas.

Uma dessas amizades especiais em minha vida surgiu de maneira inusitada. Quando o ex-governador Barbour estava concorrendo ao cargo no Mississippi, ele convidou um grupo de pastores negros para se encontrar com ele em um restaurante e conversar. O grupo a princípio disse: "Não! Ele é republicano!". Eu disse: "Olha aqui, ele vai ganhar a eleição de qualquer maneira. Por que não vamos lá conversar com ele e apresentar nossas questões? Vamos ser duros com ele". Eles me ouviram e, quando a reunião teve início, perguntei-lhe: "Que tipo de governador o senhor vai ser?". Depois de eleito, ele achou que minha ajuda foi importante para sua vitória e me agradeceu. Nós nos tornamos bons amigos depois disso.

OS HOMENS PRECISAM DE AMIZADE

Pode ser difícil para os homens desenvolver amizades. Tornamo-nos cativos da ideia americana de individualismo e competição. É fácil ver os outros como concorrentes em vez de pessoas de quem realmente precisamos. Mas nós precisamos uns dos outros. Quando penso em Jesus e seu círculo de amigos, acho que é por esse tipo de amizade que ansiamos. É disso que precisamos encarecidamente. Crescer sem mãe e sem pai e depois perder o irmão me deixou com um déficit de amor e amizade. Esse tipo de déficit pode ser doloroso. Mas Deus me abençoou com amigos especiais. A maioria dos meus amigos não tinha um irmão, ou se tinham um irmão havia alguma deficiência em seu relacionamento. Eu me tornei o irmão de que eles precisavam, e eles se tornaram os irmãos de que eu precisava.[6] E essas amizades me sustentaram e preencheram o vazio da amizade em meu coração.

O DEUS-HOMEM QUE MORREU POR NÓS

Jesus veio nos mostrar como viver e praticar a verdadeira amizade. E ele veio para fazer o sacrifício supremo. Veio ao mundo para nos salvar de nossos pecados. Enquanto Adão, Abraão, Moisés e Davi falharam, ele viveu uma vida perfeita sem pecado. Assim, qualificou-se para morrer por nossos pecados. Qualificou-se para servir como o Cordeiro sacrificial, como o bode expiatório.

João definiu a maior forma de amor como morrer por um amigo: "Não existe amor maior do que dar a vida por seus amigos" (Jo 15.13). Esse é certamente o amigo supremo. E é o teste supremo de amizade. Quando Jesus estava morrendo na cruz por nossos pecados, foi seu amigo mais amado, João, que ficou ao pé da cruz. Todos os outros discípulos o abandonaram. Temiam perder a própria vida. Mas João permaneceu até o fim. E, em meio a suas respirações agonizantes, Jesus encomendou sua mãe a João, o discípulo que ele amava. João possuía pelo menos dois irmãos, Tiago e Judas, que supostamente iam cuidar da mãe deles. O escritor de Provérbios disse: "Alguns que se dizem amigos destroem uns aos outros, mas o verdadeiro amigo é mais próximo que um irmão" (Pv 18.24). João era assim. Era o amigo mais próximo que um irmão. Ele cuidaria de Maria, a mãe de Jesus, pelo resto de sua vida. Essa é uma imagem da verdadeira amizade. Fico muito agradecido pois, como João, tenho um amigo em Jesus.

Em *O totem da paz*, Don Richardson conta a história de como os sawis, povo da Papua Ocidental, vieram a entender que poderiam ser salvos por meio de Jesus Cristo. Durante um longo tempo, Richardson e sua família tentaram encontrar uma maneira de comunicar o evangelho àquela tribo. Suas orações foram finalmente atendidas. Eles aprenderam que os sawis só compreendiam uma única demonstração de bondade. Se um pai entregasse o próprio filho a seu inimigo, sua ação sacrificial mostrava que ele era confiável. E todos os que tocassem naquela criança seriam levados a um relacionamento amigável com o pai. Os sawis foram então ensinados que, de maneira semelhante, o Filho amado de Deus poderia lhes trazer a paz eterna.[7]

Deus fez isso para cada um de nós. Ele nos deu seu Filho, Jesus. E Jesus deu sua vida para pagar a sentença pelo pecado. Custou-lhe algo para ser meu amigo. Quando assisti ao filme *A paixão de Cristo*, dirigido por Mel Gibson, fiquei arrasado ao ver Jesus subir com esforço a colina chamada Calvário, com a cruz vergando seu corpo. Fiquei arrasado quando os romanos pegaram tiras de couro com pedras afiadas amarradas nas pontas e o agrediram impiedosamente. No entanto, o clamor do meu coração foi: *Ele pode aguentar! Ele aguenta! Ele tem que aguentar! Precisamos de um Salvador!* Ele morreu uma morte horrível para pagar por todos os meus pecados. E assim como as Escrituras do Antigo Testamento haviam predito, ele ressuscitou da sepultura depois de três dias. Ele era verdadeiramente o Filho de Deus. Ele era plenamente homem e plenamente Deus. Só ele podia consertar de uma vez por todas o que havia se quebrado no jardim do Éden... e se tornar um amigo como nenhum outro.

> Nenhum amigo há igual a Cristo!
> Não, nenhum! Não, nenhum!
> Outro não há que minha alma salve!
> Não, nenhum! Não, nenhum!
>
> Cristo sabe das nossas lutas;
> Guiará até o fim chegar;
> Nenhum amigo há igual a Cristo!
> Não, nenhum! Não, nenhum![8]

*"Por que vocês comem e bebem
com cobradores de impostos e pecadores?"*

Lucas 5.30

5

Amigo de prostitutas, ladrões e marginalizados

Josephine Butler era uma esposa e mãe bem-educada, uma vitoriana de classe média. O ano era 1828 e se esperava que as mulheres cuidassem do lar e dos filhos. A trágica perda de sua filha a fez "mergulhar no coração da miséria humana, e dizer [...] às pessoas afligidas: 'Eu entendo. Eu também sofri'". Esse caminho a levou a amar e servir mulheres tidas como escória e sub-humanas: as prostitutas. Josephine as acudiu com compaixão e as tratou com respeito. Convidou muitas delas para morar em sua residência; abriu pequenos hospitais para prostitutas gravemente doentes e casas para abrigá-las enquanto aprendiam algum ofício. Ela pôde permanecer firme contra um alarido de desaprovação porque suas ações estavam profundamente enraizadas em sua fé em Cristo e no valor redentor que Jesus oferece a todas as pessoas.[1]

Ninguém esperaria que Josephine Butler sujasse as mãos para servir pessoas que viviam às margens da sociedade. Esperava-se que ela fosse como a maioria das outras mulheres de seu tempo. Ela deveria cuidar de seus filhos e manter um bom lar. Decerto estava abaixo de sua posição na vida ser amiga de pessoas que violavam a lei e a decência... pessoas como as prostitutas.

Só posso imaginar a expectativa dos israelitas enquanto aguardavam a vinda do Messias. Deus não falava por meio de um profeta havia quatrocentos anos, e muitos deles procuravam um profeta que lhes apontasse o caminho. Outros sentiam saudade dos dias de glória quando Davi era rei e Israel era a maior potência no Oriente Próximo. Como ele viria? E como seria? Seria de linhagem real? Viria como um rei poderoso, montado em um cavalo imponente? Ele finalmente colocaria os romanos em seu lugar e libertaria seu povo e a nação de Israel? Colocaria os seus em posições de poder?

INÍCIO HUMILDE

Seu início humilde neste mundo constituiu uma enorme janela para os tipos de amigos que ele procuraria. E assim foi com sua linhagem. Pelo lado humano, na linhagem de sua família se encontram algumas poderosas testemunhas daquilo que mais importa para o coração de Deus. Tamar está lá. Ela enganou o sogro ao vestir-se como prostituta para que pudesse ter um filho dele depois que ele deixou de cumprir seu dever familiar para com ela. Raabe está lá. Ela foi a prostituta que ajudou os israelitas a tomar a cidade de Jericó. Rute está lá. Ela foi uma forasteira, uma gentia pagã. E Bate-Seba está lá, a mulher que carregou no ventre o pecado de Davi.

Todas elas eram mulheres à mercê de uma cultura que não as valorizava. A cultura dizia que elas eram inferiores às outras pessoas. No entanto, Deus interveio na vida de cada uma delas para reconhecer sua dignidade. Um de nossos maiores problemas hoje é que amaldiçoamos as pessoas em vez de reconhecer seu valor. Achamos que cabe a nós decidir quem tem dignidade e quem não tem. Mas não cabe a nós dar dignidade a ninguém. Deus já fez isso. Ele criou todas as pessoas à sua própria imagem, a *Imago Dei*. Ele criou a humanidade para que pudéssemos conhecê-lo e torná-lo conhecido, para servi-lo e adorá-lo para sempre. Portanto, qualquer pessoa já possui esse valor dado por Deus. É nossa responsabilidade e privilégio reconhecer isso nas outras pessoas.

Reconhecemos as pessoas pelo modo como as cumprimentamos e reagimos a elas, pela forma como as olhamos nos olhos e notamos sua presença. Um provérbio africano diz: "Quando vi você de longe, pensei que fosse um monstro. Quando você se aproximou, pensei que fosse apenas um animal. Quando chegou ainda mais perto, vi que era um ser humano, mas quando estávamos face a face me dei conta de que você era meu irmão". Acredito que isso é verdade de muitas maneiras. Observamos as pessoas a distância e fazemos julgamentos a respeito delas que nos convencem a mantê-las a distância. A tolerância é o espaço que existe entre o momento em que conhecemos uma pessoa e o momento em que decidimos que não gostamos dela. Nós estamos apagando esse espaço. Precisamos abrir espaço para conhecer os outros. Ah, quem dera nós nos aproximássemos o suficiente uns dos outros para enxergar que podemos ser amigos, que *somos* irmãos e irmãs!

AMIGO DE MULHERES PERDIDAS

Jesus nos mostrou como cruzar todas as fronteiras expressas e não expressas quando conheceu uma mulher samaritana junto a um poço. Ela era marginalizada. Sabemos disso porque as mulheres respeitadas da cidade vinham buscar água no frescor da manhã. Mas essa mulher vinha sozinha, no calor do dia, com o sol no ponto mais alto, pois queria evitar os outros e seus olhares de julgamento e repugnância. Mas esse dia mudaria sua vida para sempre. O Cão de Caça do Céu estava prestes a capturar outra alma preciosa.

Jesus conheceu essa mulher desprezada. A história é contada em João 4. As normas sociais diziam que ele não deveria falar em particular com uma mulher. Isso ia contra todas as leis e costumes daquele povo. Mas Jesus a cumprimentou. E a tratou com respeito. Ele queria fazer dela sua amiga. A oferta de amizade é uma afirmação de dignidade. Jesus a colocou em primeiro lugar em todos os sentidos. Ele estava carente, com sede; ele demonstrou humildade ao tornar-se vulnerável. Ele poderia tê-la condenado por seu estilo de vida e fazê-la sentir-se indigna. Poderia tê-la chamado daquilo que a maioria dos judeus chamava quando falavam de samaritanos: "impura". Em vez disso, pediu: "Por favor, dê-me um pouco de água para beber".

> O amor e a graça de Deus sempre superarão meus pecados. Não importa o que eu faça, quando eu terminar serei contemplado por sua graça, seu amor e sua eterna amizade.

Essas palavras devem ter assustado aquela mulher. Ela não esperava que ele fosse realmente falar com ela. Estava acostumada a homens que desviavam os olhos quando ela se aproximava, pelo menos o tipo de homem que você leva para casa para conhecer seu pai. Ela reagiu dizendo: "Você é judeu, e eu sou uma mulher samaritana", ou seja, "Não temos nada a ver um com o outro".

E embora tudo o que ela disse fosse verdade, o amor de Jesus transbordou. Ele bebeu do cântaro dela como sinal de verdadeira comunhão. Reservou tempo para conversar com ela e responder a suas perguntas. Suas ações em relação a ela demonstravam respeito, honra e amor. O amor é a essência de Deus. Jesus nos mostrou que nada é mais importante que o amor.

Se eu falasse as línguas dos homens e dos anjos, mas não tivesse amor, seria como um sino que ressoa ou um címbalo que retine.

Se eu tivesse o dom de profecias, se entendesse todos os mistérios de Deus e tivesse todo o conhecimento, e se tivesse uma fé que me permitisse mover montanhas, mas não tivesse amor, eu nada seria. Se desse tudo que tenho aos pobres e até entregasse meu corpo para ser queimado, e não tivesse amor, de nada me adiantaria. [...]
Três coisas, na verdade, permanecerão: a fé, a esperança e o amor, e a maior delas é o amor.

1Coríntios 13.1-3,13

Sim, a maior delas é o amor. O amor de Deus é revelado através de sua graça. E a graça é maior que todos os nossos pecados. Sou grato acima de tudo por essa verdade. O amor e a graça de Deus sempre superarão meus pecados. Não importa o que eu faça, quando eu terminar serei contemplado por sua graça, seu amor e sua eterna amizade.

Jesus mostrou a profundidade da graça de Deus. Seu amor e amizade por essa mulher marginalizada transformaram a vida dela. Ela chegou ao poço desanimada, triste e solitária. Foi embora animada e determinada a dizer a todos na Samaria que havia encontrado um amigo em Jesus e que nunca mais estaria sozinha.

Essa mulher samaritana não foi a única excluída social com quem Jesus fez amizade. Tantas e tantas vezes lemos nas Escrituras sobre como ele fugiu das normas habituais para chamar amigos para si. Mateus foi outro desses amigos inesperados.

AMIGO DE HOMENS DESPREZADOS

Em um de meus livros sobre liderança, observei:

> É importante reconhecer que Jesus não encontrou seus seguidores em conferências de liderança ou em corredores acadêmicos. Ele

não verificou se eles tinham ou não diplomas do seminário ou se haviam alcançado a nota média em testes padronizados. Não pediu referências. Não saiu por aí anunciando que estava procurando pessoas. Em vez disso, simplesmente olhou em volta e decidiu trabalhar com os que estavam por perto.²

Um dos que foram abençoados por estarem por perto foi um cobrador de impostos chamado Mateus.

Nos dias de Jesus, havia cobradores de impostos e chefes de cobradores de impostos. Os chefes de cobradores de impostos eram contratados pelo império romano para coletar os impostos devidos. Eram famosos por aumentar as taxas e tirar proveito do povo. Empregavam pessoas como Mateus para ficar sentadas em cabines de pedágio e cobrar impostos sobre quase tudo: bens, mercadorias, serviços. Todo vendedor, inclusive as prostitutas, pagava impostos sobre seus negócios. Mateus era cobrador de impostos.

Enquanto caminhavam por Cafarnaum, Jesus pôs os olhos em Mateus em sua cabine de coletor de impostos. Ele lhe disse: "Siga-me", e imediatamente Mateus deixou a cabine e o seguiu. Fico impressionado com a resposta instantânea de Mateus. Ele deve ter percebido que Jesus iria atender a seu desejo de amizade e significado. Ele era desprezado porque explorava seu próprio povo. Era visto como o pior dos pecadores na cultura judaica. Quando os judeus amaldiçoavam alguém, a pior coisa de que poderiam chamá-lo era "cobrador de impostos".

Quando Mateus organizou um jantar em sua casa com colegas cobradores de impostos e outros pecadores, Jesus foi o convidado de honra. Jesus havia escolhido fazer amizade com esses párias sociais que os cidadãos de bem religiosos odiavam. E ficavam indignados por Jesus fazer isso. Sua resposta a eles foi: "As pessoas saudáveis não precisam de médico, mas sim os doentes. Não vim para chamar os justos, mas sim os pecadores, para que se arrependam" (Lc 5.31-32). Essa só poderia ser uma notícia chocante e maravilhosa para Mateus e seus convidados! Jesus queria todos eles!

Jesus perturbou a elite religiosa mais uma vez quando chamou outro cobrador de impostos. Zaqueu era um chefe de cobradores de impostos. Ficara podre de rico com seus esquemas e tramas para explorar o próprio povo. Um dia, porém, Jesus passou por Jericó e viu Zaqueu. Ele o chamou para si e foi comer em sua casa. Zaqueu, com alegria, recebeu Jesus como amigo e prometeu dar metade de seus bens aos pobres e reembolsar em quatro vezes tudo o que havia usurpado de outras pessoas.

Zaqueu e Mateus, ambos cobradores de impostos que aceitaram a oferta de amizade e amor de Jesus. Mateus se tornaria um dos doze discípulos e escreveria um dos Evangelhos. Esse ex-cobrador de impostos que se aproveitava de seu povo para ganhar dinheiro seria usado por Deus para convencer essas mesmas pessoas de que Jesus era verdadeiramente o Filho de Deus. Deus o usou para registrar as palavras do Sermão do Monte, nas quais Jesus estabeleceu as exigências para a vida em seu reino. Desde o momento em que Mateus deixou a cabine, nunca olhou para trás. Suponho que ele ficou muito agradecido por Jesus não o ver como um pária social. Jesus o via como um amigo, e como alguém útil para a obra do reino.

AMIGO DOS EXCLUÍDOS

Amigo de prostitutas? Sim! Amigo de cobradores de impostos desprezados? Sim! Mas Jesus iria confundir ainda mais as noções dos religiosos ao buscar o nível mais baixo da sociedade. Se houvesse algo como um sistema de castas nos dias de Jesus, suponho que no nível mais baixo encontraríamos os leprosos.

Eles eram vistos como impuros e eram forçados a viver fora dos limites das cidades. Não tinham permissão para adorar no templo. Se estavam andando na rua e alguém se aproximasse, eram obrigados a gritar: "Impuro! Impuro!", a fim de alertar a pessoa para não chegar perto. Viviam em colônias de leprosos com outros como eles. A lepra era quase uma sentença de morte; certamente Jesus não chegaria a esse ponto. Certamente o Filho de Deus, o Deus-homem, não se arriscaria a ficar impuro tocando em um desses párias sociais!

> Eu sei como é estar entre os últimos dos últimos. Sei como é quando cidadãos de "bem" olham de nariz empinado para você. Algo dentro de nós morre a cada vez.

Certo dia, enquanto Jesus viajava junto aos limites da Galileia, em direção a Jerusalém, dez leprosos o viram (Lc 17.11-19). A distância, clamaram: "Jesus, Mestre, tenha misericórdia de nós!". Ele se compadeceu deles e disse: "Vão e apresentem-se aos sacerdotes". O sacerdote poderia confirmar que já não estavam mais impuros, pois enquanto iam até ele foram curados. Um deles retornou e se lançou aos pés de Jesus, agradecendo por sua cura.

E Mateus conta sua própria história de Jesus curando um leproso. Só que desta vez seria diferente. Com os dez leprosos, Jesus simplesmente falou com eles a distância e disse-lhes que fossem ver o sacerdote. Agora, ele usaria o toque físico para curar o leproso. Quando Jesus desceu depois de pregar o Sermão do Monte, muitas pessoas o seguiram. Um leproso aproximou-se dele e disse: "Senhor, se quiser, pode me curar e me deixar limpo". Jesus não sentiu repulsa daquele homem. Não se preocupou com a prescrição da Lei, segundo a qual era proibido o contato com um leproso. Em vez de se afastar, Jesus estendeu a mão e tocou o homem. "Eu quero", respondeu. "Seja curado e fique limpo!" (Mt 8.2-3). E, no mesmo instante, o homem foi curado da lepra. Ele havia sido tocado pela mão de Jesus! Assim como os outros leprosos, Jesus lhe disse que fosse se mostrar ao sacerdote para confirmar que agora estava livre da tão temida enfermidade.

Só posso imaginar a alegria que deve ter enchido o coração daquele homem. Provavelmente durante anos ele se vira forçado a assistir à vida passar à sua frente. Era um marginalizado... à margem de todos os círculos sociais... excluído... solitário... rejeitado. Era como muitas das pessoas esquecidas de nossos dias que escaparam pelas fendas. São os marginalizados. Encontram-se no nível mais baixo da sociedade e estão sozinhos, precisando desesperadamente de alguém como Jesus, que os cure com a oferta de amizade e amor. Eu sei como é estar entre os últimos dos últimos. Sei como é quando cidadãos de "bem" olham de nariz empinado para você. Algo dentro de nós morre a cada vez.

ELE ACOLHE O MARGINALIZADO

Muito me alegra o fato de que Jesus vá atrás desse tipo de pessoa. O Cão de Caça do Céu abre espaço para as massas rejeitadas e descartadas. E acho que a verdadeira questão é: *Se o próprio Deus ama e deseja os excluídos, por que não fazemos o mesmo?* Por que nos afastamos em vez de caminharmos na direção deles? Por que nos recusamos a olhá-los nos olhos e sentir sua dor? As histórias de pessoas como Madre Teresa e Josephine Butler — e muitas outras sobre as quais nunca ouvimos falar — são incríveis. Mas as ações dessas pessoas não deveriam ser a exceção: suas histórias deveriam ser a de qualquer um que foi salvo e é amigo de Jesus. Tim Keller postou no Twitter recentemente: "Pessoas religiosas, que creem na Bíblia, muitas vezes ignoram o evangelho. Só porque você acredita na Bíblia não significa que a entende. Repetidas vezes, os cobradores de impostos, as prostitutas e os amorais vão até Jesus, ao passo que os religiosos não se dão conta de quem ele é".[3]

Os excluídos vão até Jesus porque são atraídos por seu amor, sua graça e seu coração. Meu coração se dói na expectativa de que a igreja entenda que esse é o nosso chamado atual. Acolhê-los com amor! Atraí-los com amor e graça, com o mesmo amor que recebemos quando declaramos Jesus como nosso Salvador. Isso ainda funciona!

Podemos aprender muito sobre amizade verdadeira com Jesus. Ele não se deixou desanimar pelo pecado. Quantidade nenhuma de pecado o impediu de fazer amizade com as pessoas. Ele parecia ser atraído pelos marginalizados e excluídos — pessoas realmente machucadas. Seu amor e amizade eram tão poderosos que corações e vidas partidas foram curados. Acredito que perdemos muitas ricas oportunidades de amizade por julgarmos as pessoas pelas aparências. Desanimamos porque elas não se parecem conosco ou porque não se encaixam em determinado molde. Sou grato por ter amigos especiais que conseguiram superar suas primeiras impressões sobre mim e se tornaram amigos verdadeiros. Eles são exemplos de tolerância. Abriram espaço entre o momento em que me conheceram e o momento em que tomaram uma decisão quanto a gostar ou não de mim. Vou deixar Randy e Joan compartilharem a história de nossa amizade com as palavras deles próprios.

Vamos ouvir Randy e Joan Nabors:

Amizade É TOLERANTE

Minha esposa, Joan, se lembra da primeira vez que encontramos John Perkins. Foi em 1975, na Conferência Nacional sobre Raça e Reconciliação, realizada em Atlanta, na Geórgia. Fomos colocados em um pequeno grupo, e Joan disse que quando nos sentamos ela notou aquele homem negro sentado ali, mais para trás. Ele não estava tão bem-vestido e, à primeira vista, não dava a impressão de que seria o pensador mais intelectualizado ou estratégico do recinto. Se bem me lembro, nesse pequeno grupo estavam C. Peter Wagner, do Seminário Fuller, David Mains e Clarence Hilliard, da Circle Church, em Chicago, Joan e eu, e John Perkins. Em 1975, Joan e eu estávamos casados havia quatro anos, e eu, Randy, era estudante no Seminário Teológico Aliança. Joan e eu éramos os mais jovens do grupo.

Foi uma surpresa quando John começou a falar. A princípio, não havia nada para sugerir por que ele deveria estar no grupo ou na discussão. Ele não era um acadêmico; não parecia ocupar uma posição poderosa no cristianismo evangélico. Não era um homem negro imponente. Não tinha uma aparência suave; antes, seu rosto se parecia com o de alguém que havia passado por maus bocados na vida. Parecia e agia como um "matuto" do Mississippi, e também soava desse modo. Na verdade, parecia ter acabado de vir do trabalho no campo. Ele parecia humilde e deslocado demais para fazer a diferença em nosso futuro, sem falar no futuro da igreja nos Estados Unidos. John tinha o hábito de usar as mãos para limpar os lábios enquanto falava, e não estava fazendo nada para impressionar as pessoas ou chamar nossa atenção. Tudo nele nos preparou para uma grande surpresa.

Joan é afro-americana, e eu sou branco. John nos tem dito ao longo dos anos que nosso casamento significa muito para ele. Significou, juntamente com a criação de nossa família e o pastoreio de uma igreja transcultural, nosso compromisso com a reconciliação racial. Ele nos disse que somos testemunho e exemplo de muitas coisas pelas quais ele vem lutando ao longo de sua vida. Tenho certeza de que ele não pensou isso de nós a princípio, e com certeza ele tinha muitas perguntas sobre quem e o que éramos quando nos viu pela primeira vez. Mesmo aqueles de nós profundamente comprometidos com a reconciliação racial geralmente têm um viés à primeira vista que deve ser trabalhado para que tenhamos um relacionamento honesto; as pessoas podem nos surpreender, e de fato o fazem.

Uma das grandes e maravilhosas bênçãos de nossa vida tem sido a amizade com John Perkins. Desde aquele primeiro encontro, ele nos ensinou muito sobre o desenvolvimento econômico da comunidade. Apenas a ideia de que os cristãos poderiam fazer algo em nome de Jesus para impactar as condições das pessoas pobres já foi uma revelação para nós. Crescemos em um dos projetos habitacionais de Newark, Nova Jersey. Joan e eu somos nativos da pobreza urbana e de seu ambiente. Tínhamos aguda consciência do racismo, da pobreza, do crime, da violência e da aparente ausência da maior parte da igreja evangélica no trato dessas questões. Nós entendemos e praticamos a evangelização, como John fez quando voltou ao Mississippi para praticar evangelização infantil nas escolas. Nossa igreja local em Newark era uma defensora da evangelização urbana e transcultural. Era uma congregação que oferecia compaixão às pessoas e as ajudava de várias maneiras. Trouxeram comida para minha casa quando minha família não tinha nada para comer e me ensinaram a fazer o mesmo quando eu era adolescente no grupo de jovens.

John nos abriu os olhos para oportunidades de impacto significativo nas comunidades pobres. Não apenas os comentários e as perguntas de John naquele grupo nos revelaram que esse homem entendia os problemas, mas revelaram sobretudo que ele os havia vivido na própria pele. Mais tarde, descobriríamos quanto ele havia sofrido em seu caminho para um compromisso com a reconciliação racial. Sua piedade, humildade e arguta voz profética sobre e contra as injustiças promovidas pelo racismo (com seus incríveis e honestos *insights* bíblicos e sociais) nos cativaram.

Foi motivo de admiração que um homem com tantas razões para odiar os brancos e desconfiar deles pudesse ser tão gentil. Joan e eu crescemos em um contexto de radicalismo negro — em que pessoas que conhecemos e com quem crescemos se tornaram muçulmanos negros, alguns deles integrando os Panteras Negras — e vivenciamos os tumultos de Newark em 1967 e em 1968 após o assassinato do Dr. Martin Luther King Jr. A hostilidade racial estava se tornando um ambiente quase normal para navegarmos em nossa condição de casal inter-racial. Nenhuma das pessoas que conhecíamos, e que sentiam tanto ódio, sofreu tanto quanto John Perkins. Nossa impressão era de que, se alguma vez conhecemos um homem que esteve com Jesus, esse homem era John. A Bíblia parecia transbordar dele.

Uma das alegria de nosso coração é ver quanto nossa filha ama e admira John Perkins. Keren era aluna do Seminário Teológico Reformado em Jackson. Começou a frequentar o estudo bíblico de John às 5h30 da manhã, uma vez por semana. Não acreditávamos que nossa filha pudesse acordar tão cedo, então isso nos impressionou e impressionou John. Quando Keren se uniu a Alex, seu marido, John atuou como "avô honorário". Wayne Gordon disse que John faz que todos se sintam como amigos especiais, e é verdade que esse é um de seus grandes dons e habilidades. Causa-nos humildade o fato de ele nos amar e ser nosso amigo, de nos fazer sentir importantes para o reino, encorajando-nos constantemente e nos incluindo em sua comunhão sempre que o encontramos. Gostaria que todos soubéssemos ser amigos dessa maneira.

RANDY E JOAN NABORS
*Randy é o coordenador urbano e de misericórdia
da Missão para a América do Norte com a New City Network.
Randy e Joan moram em Chattanooga, no Tennessee.*

Parte 3

AMIZADE COM O ESPÍRITO SANTO

"Ó Senhor, *tu examinas meu coração
e conheces tudo a meu respeito.*"

Salmos 139.1

6

O Deus que habita em nós

Há uma história sobre um garoto de doze anos que foi salvo e ficou amigo de Jesus durante um avivamento. Mais tarde naquele dia, seus amigos começaram a questioná-lo sobre isso. Um deles disse: "Você teve uma visão?". Outro disse: "Você ouviu Deus falar?". O menino respondeu a todas essas perguntas com um simples "Não". Então eles perguntaram: "Mas como você sabe que foi salvo?". E o menino respondeu: "É como quando a gente fisga um peixe; não dá para vê-lo ou ouvi-lo, mas dá para senti-lo puxar a linha. Eu senti Deus puxar meu coração".[1]

Por mais de sessenta anos fui exatamente como esse menino salvo naquele avivamento. Ao longo desse tempo todo, senti Deus puxando meu coração, dizendo-me qual direção tomar e o que fazer, e lembrando-me de suas promessas. Foi Deus Espírito Santo que me inquietou o coração após eu visitar a prisão na Califórnia e ver todos aqueles meninos negros tão parecidos comigo. Voltei para casa, para minha vida boa, mas ele não me deixou esquecer o que eu tinha visto. Não me deixou esquecer o semblante daqueles meninos. Senti-me como Davi deve ter se sentido quando disse: "É impossível escapar do teu Espírito; não há como fugir da tua presença. Se subo aos céus, lá estás; se desço ao mundo dos mortos, lá estás também" (Sl 139.7-8). O Cão de Caça do Céu, que me perseguiu incansavelmente até se tornar meu amigo, continua sua busca para garantir que eu faça o que ele quer que eu faça. É assim que o Espírito Santo opera em minha vida. É o meu amigo mais chegado.

O Espírito Santo é a presença maravilhosa de Deus. Ele é o que o antigo pregador chamou de onipresente. Isso significa que ele está em todos os lugares ao mesmo tempo. Deus Filho veio para habitar conosco, para viver entre nós, permitindo que o tocássemos a fim de assim sabermos que ele é Deus. Mas antes de voltar ao céu ele prometeu a seus discípulos que enviaria outro Encorajador, que estaria sempre com eles. Esse Encorajador é o Espírito Santo, e ele veio para viver em nós. Conhecê-lo é saber que ele está sempre conosco.

ELE É UMA PESSOA

O Espírito Santo é a terceira pessoa da Trindade. Millard J. Erickson nos ajuda a entender por que é importante sabermos quem é o Espírito Santo: "O Espírito Santo é importante, pois ele providencia o contato entre o crente e Deus". Ele acrescenta que porque vivemos em uma época que valoriza a experiência, é por meio da obra do Espírito Santo que sentimos a presença de Deus dentro de nós.[2] O Espírito Santo é o poder e a presença de Deus que vive no coração dos crentes.

Em minha infância no Mississippi, não tive muita interação com o pessoal da igreja. Então, minha compreensão do Espírito Santo se limitava ao que eu sabia sobre os pentecostais. A meu ver, o Espírito Santo só fazia as pessoas ficarem alegres e falarem em outras línguas. Eu não entendia que ele era uma pessoa, que era Deus. E mesmo depois de andar com o Senhor por todos esses anos, ainda é confuso e difícil colocar em palavras quem é exatamente o Espírito Santo. Mas sei que ele é sobrenatural. Ele é a própria presença de Deus. Quando Jesus conversou com a mulher samaritana, ele disse a ela que Deus é Espírito e que deve ser adorado em espírito e em verdade.

Vim a conhecê-lo como Amigo verdadeiro, mais próximo que um irmão. "Que doce voz tem meu Senhor, voz de amor tão terna e graciosa", conforme expressa o antigo e amado hino. Não sei como estaria hoje se ele não houvesse realizado o trabalho árduo de talhar meus hábitos ruins e suavizar as arestas do meu coração. E ele continua realizando esse trabalho.

Não podemos conhecer a Deus à parte do Espírito. Ele nos dá fome e sede de Deus e das coisas de Deus. Diz-se que "quando você ansiar por Deus tão intensamente quanto pelo ar que respira, então você encontrará Deus".[3]

Não acho que esteja em nossa vontade carnal conhecer a Deus desse modo. Mas o Espírito Santo usa as circunstâncias de nossa vida para nos fazer clamar a Deus e buscar sua vontade e seus propósitos. Ele nos dá anseio pela vontade de Deus. Foi em meio ao desespero que senti em uma cela em Brandon, no Mississipi, que o Espírito me atraiu aos propósitos de Deus para minha vida. Deitado lá depois de ter apanhado da polícia, eu estava cheio de veneno e raiva. (Essa história foi contada em outros lugares, mas, resumidamente, esse incidente ocorreu durante a luta pelos direitos civis.[4]) Eu queria revidar, fazer algum estrago. Mas no meio daquela agonia e sofrimento ele me indicou um caminho

> O Espírito Santo usa as circunstâncias de nossa vida para nos fazer clamar a Deus e buscar sua vontade e seus propósitos.

melhor. Mostrou-me um caminho mais rico que me conduziria à alegria e paz verdadeiras. Era por algo assim que meu coração ansiava. Havia apenas um caminho para alcançar isso. E isso exigiu que eu me libertasse da raiva e da amargura e permitisse que ele me mostrasse a saída.

ELE VEM COM PODER

O Espírito Santo opera o tempo todo para nos tornar Deus conhecido, e acredito que ele normalmente se faz conhecer por meio de um de nossos sentidos, a fim de que a lembrança fique gravada para sempre. Foi o que ele fez no Pentecostes. Aqueles que lá estavam nunca se esqueceriam do fogo que se parecia com línguas que repousavam em cada pessoa enquanto elas exprimiam a mensagem de Deus.

Quando Deus Filho veio ao mundo em forma física, veio como um bebê nascido de uma virgem em uma aldeia tranquila chamada Belém. Mas quando Deus Espírito Santo veio, ele se lançou em cena causando um alvoroço que chamou a atenção de todos. Lucas descreveu a cena da seguinte forma:

> No dia de Pentecostes, todos estavam reunidos num só lugar. De repente, veio do céu um som como o de um poderoso vendaval e encheu a casa onde estavam sentados. Então surgiu algo semelhante a chamas ou línguas de fogo que pousaram sobre cada um deles. Todos ficaram cheios do Espírito Santo e começaram a falar em outras línguas, conforme o Espírito os habilitava.
>
> Naquela época, judeus devotos de todas as nações viviam em Jerusalém. Quando ouviram o som das vozes, vieram correndo e ficaram espantados, pois cada um deles ouvia em seu próprio idioma. Muito admirados, exclamavam: "Como isto é possível?

> Estes homens são todos galileus e, no entanto, cada um de nós os ouve falar em nosso próprio idioma! Estão aqui partos, medos, elamitas, habitantes da Mesopotâmia, da Judeia, da Capadócia, do Ponto, da província da Ásia, da Frígia, da Panfília, do Egito e de regiões da Líbia próximas a Cirene, visitantes de Roma (tanto judeus como convertidos ao judaísmo), cretenses e árabes, e todos nós ouvimos estas pessoas falarem em nossa própria língua sobre as coisas maravilhosas que Deus fez!". Admirados e perplexos, perguntavam uns aos outros: "Que significa isto?".
>
> Atos 2.1-12

Quando esse novo Encorajador, o Espírito Santo, veio, sua presença literalmente encheu o lugar. Ali estavam os onze discípulos com mais de cem seguidores de Jesus. O Espírito Santo os encheu com sua presença. Algo semelhante a línguas de fogo repousou sobre cada um deles, e eles falaram em línguas que não lhes eram naturais. Todos eram capazes de ouvir o evangelho na própria língua ou dialeto. Os judeus falavam aramaico. Consideravam as línguas gentias "incultas e guturais".[5] Mas nesse episódio miraculoso Deus abriu a boca desses cristãos judeus e eles se viram falando palavras que eram entendidas pelos presentes, incluindo aqueles que eram vistos como marginalizados. O Espírito Santo permitiu que todos na multidão, judeus e gentios, ouvissem na própria língua o convite de Deus para que fossem seus amigos! Conforme veremos mais adiante com Cornélio e sua família, Deus estava ampliando a rede para incluir todas as pessoas, de todas as etnias, do mundo todo. E o Espírito Santo fez isso de modo que, se alguém era da Grécia e falasse grego, ouviria o convite de Deus à amizade em grego. Qualquer que fosse a língua que a pessoa falasse, ela ouviria o evangelho em sua própria língua.

O apóstolo Pedro explicou que o que estava acontecendo era o cumprimento de uma profecia do Antigo Testamento. Segundo o profeta Joel, Deus tinha dito: "Nos últimos dias [...] derramarei meu Espírito sobre todo tipo de pessoa", e ali estava o cumprimento dessa profecia (Jl 2.28-32). Em seguida, Pedro compartilhou com eles o evangelho, a mensagem de que Jesus era o Messias e que havia morrido por nossos pecados. Após Pedro terminar sua pregação, mais de três mil pessoas se tornaram amigas de Jesus. O Espírito Santo realizou o que havia se proposto fazer. Ele tornou Deus conhecido para aquelas pessoas, e muitas delas se tornaram suas amigas.

ELE RECONCILIA AS PESSOAS

Deus repetiu essa mesma maravilhosa experiência quando disse a Pedro que visitasse Cornélio, um centurião romano. Cornélio não era judeu, mas Deus estava se preparando para fazer algo novo. Mais uma vez Deus, por meio do Espírito Santo, mostraria que o relacionamento especial que ele oferece é para todos, não apenas para os judeus. Deus ama todas as pessoas, e seu desejo é que nenhum homem e nenhuma mulher fique sem o seu amor. Cornélio e toda sua casa ficaram impressionados com a oferta divina de amizade e comunhão. Foram batizados logo em seguida. (Você pode ler essa empolgante história em Atos 10!) O Espírito Santo faz Deus conhecido. Mas ele não apenas torna Deus conhecido por nós como indivíduos. Ele não somente reconcilia as pessoas com Deus. Ele nos reconcilia uns com os outros. O Espírito Santo atraiu o gentio Cornélio e sua família a um relacionamento de reconciliação com Deus e também com Pedro, que era judeu. Isso foi uma demonstração clara de reconciliação na igreja primitiva. E devo dizer que, quaisquer que sejam as divisões entre pessoas e grupos hoje, elas também existiam naquela época. Um judeu devoto não ia à casa de um gentio nem compartilhava refeições com eles; e os judeus que aguardavam o Messias nem sonhavam que a mensagem do evangelho se destinasse a alguém além deles. Foi necessária a obra do Espírito Santo para promover reconciliações entre judeus e gentios. E o Espírito Santo continua fazendo a mesma coisa hoje, promovendo reconciliação entre grupos e pessoas que se encontram em campos opostos. Ele trabalha para que seus amigos atravessem juntos toda e qualquer linha que os separe.

ELE ENCORAJA SEUS AMIGOS

Depois de o Espírito Santo chegar no Pentecostes, sua próxima menção nas Escrituras se dá no episódio em que Pedro e João passaram a noite presos por terem curado um aleijado.

> Cheio do Espírito Santo, Pedro lhes respondeu: "Autoridades e líderes do povo, estamos sendo interrogados hoje porque realizamos uma boa ação em favor de um aleijado, e os senhores querem saber como ele foi curado. Saibam os senhores e todo o povo de Israel que ele foi curado pelo nome de Jesus Cristo, o nazareno, a quem os senhores crucificaram, mas a quem Deus ressuscitou dos mortos. Pois é a respeito desse Jesus que se diz:
>
> > 'A pedra que vocês, os construtores, rejeitaram
> > se tornou a pedra angular'.'

Não há salvação em nenhum outro! Não há nenhum outro nome debaixo do céu, em toda a humanidade, por meio do qual devamos ser salvos".

Atos 4.8-12

O Espírito Santo encheu Pedro, que não teve medo de falar intrepidamente em favor de Cristo ainda que pudesse ser aprisionado mais uma vez e espancado e punido severamente. Quando as pessoas viram a coragem de Pedro e João e perceberam que eram homens comuns, com pouca instrução, ficaram maravilhadas. E perceberam também que a amizade com Jesus é o que lhes dava esse tipo de coragem.

> Essa coragem é incomum. Ser capaz de ficar de frente para aqueles que vão matá-lo por causa de sua fé e ainda conseguir fixar os olhos no céu e encontrar paz. Esse é o tipo de coragem de que precisamos encarecidamente hoje.

A exemplo de Pedro e João, eu não tive muita educação formal. Sou um homem comum. Meu inglês não é muito eloquente, e com frequência estou rodeado de pessoas com alto nível educacional. Pode ser desencorajador olhar no rosto dessas pessoas e sentir que toda vez é necessário ter de provar quem você é. Mas meu amigo o Espírito Santo me dá a coragem para me pôr em pé e falar. E ele sempre me enche os lábios com sua Palavra. O Espírito Santo aquece corações para que escutem a mensagem de reconciliação com Deus e de uns com os outros, sejam eles ricos, pobres, muito instruídos ou com pouca instrução.

Começa a ficar claro que nos dar coragem para compartilhar a Palavra e falar sobre Jesus é um dos principais trabalhos do Espírito Santo. Em Atos 4.31, após Paulo e João serem libertos, os crentes se reuniram e oraram. Depois da oração, "todos ficaram cheios do Espírito Santo e pregavam corajosamente a palavra de Deus". E em Atos 6 Estêvão é descrito como um "homem cheio de fé e do Espírito Santo" (v. 5) Vemos uma exibição da coragem de Estêvão depois que ele foi preso por pregar o evangelho. Ele se levantou e com bravura desafiou aqueles que haviam crucificado Jesus. Quando estes se preparavam para apedrejá-lo até a morte, "Estêvão, cheio do Espírito Santo, olhou firmemente para o céu e viu a glória de Deus, e viu Jesus em pé no lugar de honra, à direita de Deus. 'Olhem!', disse ele. 'Vejo os céus abertos e o Filho do Homem em pé no lugar de honra, à direita de Deus!'" (At 7.55-56).

Essa coragem é incomum. Ser capaz de ficar de frente para aqueles que vão matá-lo por causa da sua fé e ainda poder fixar os olhos no céu e encontrar paz. Acho que esse foi o tipo de coragem que muitos dos mártires tiveram. Foi o poder do Espírito Santo dentro deles. Estou certo de que Policarpo teve essa coragem. O relato do martírio de Policarpo é um dos primeiros registrados fora do Novo Testamento. Quando os soldados vieram prendê-lo, seus amigos tentaram fazer que ele fugisse para salvar sua vida. Ele recusou.

> Os soldados então o agarraram a fim de pregá-lo em uma estaca, mas Policarpo os deteve: "Deixem-me como estou. Pois aquele que me permite suportar o fogo também me dará forças para permanecer imóvel sobre a pira, sem a garantia que vocês desejam dos pregos". Ele orou em voz alta, o fogo foi aceso e sua carne, consumida. O cronista desse martírio escreveu que "não era como carne queimando, mas como pão assando ou como ouro e prata refinados em uma fornalha".[6]

Esse é o tipo de coragem de que precisamos encarecidamente hoje. Em um tempo em que as pessoas estão tentando, com todas as forças, preencher o vazio de amizade em sua vida com dinheiro, bens materiais e poder, precisamos ter a coragem necessária para lhes dizer a verdade. A amizade com Deus é a única coisa que preencherá esse espaço vazio. Não precisamos ter medo de ir às pessoas, fazer amizade com elas e falar sobre Jesus. O Espírito Santo nos dará a mesma coragem que deu a Pedro, João, Estêvão e Policarpo. Nós já a temos — porém não a usamos. É como possuir um recurso ilimitado ao qual nunca se recorre. É como ter um milhão de dólares depositados no banco e viver em um abrigo para sem-teto por não se saber que tem tanto dinheiro disponível. Quero ser corajoso o suficiente para falar em nome de Jesus em todas as oportunidades que tiver.

ELE É AINDA MAIS QUE TUDO ISSO

A verdade é que o Espírito Santo faz muito mais em nossa vida do que nos dar coragem. Ele é um mestre. Ele nos convence do pecado. Ele nos guia em seu caminho. Ele produz fruto em nossa vida que nos capacita a sermos amigos de todos. Falaremos sobre tudo isso no próximo capítulo. Por ora, contudo, espero que possamos encarar esta verdade: o Espírito Santo veio para tornar Deus conhecido e para nos encorajar a compartilhar as boas-novas com pessoas que precisam urgentemente delas. Quando penso no número de pessoas que podem ser libertadas com essas boas-novas, esse impulso se torna irresistível. Não quero que ninguém que conheço deixe de tê-lo como amigo. O mundo precisa desesperadamente desse Amigo que habita em nós e que preenche os lugares vazios.

Uma das minhas canções favoritas celebra o fato de que, tão logo nos tornamos amigos de Deus, amigos de Jesus, amigos do Espírito Santo... nunca mais estaremos sozinhos. Essas são notícias maravilhosas em um mundo repleto de pessoas solitárias!

> Neste mundo sozinho
>   Não quero nem posso avançar;
> Pois eu sou tão fraquinho,
>   Nunca me posso guardar.
> Mas Jesus vai comigo,
>   Sempre pronto a salvar;
> Pois Ele mesmo promete
>   Que nunca irá me deixar
>
> Nunca me deixar!
>   Nunca me deixar!
> Ele mesmo promete
>   Nunca me deixar![7]

O Espírito Santo é Deus com você, Deus dentro de seu coração, em todos os momentos de cada dia. É impossível ficar solitário quando ele é seu Amigo sempre presente. Podemos nos alegrar nessa verdade eterna!

"O fruto do Espírito não é empurrar, dirigir, escalar, agarrar e pisar. A vida é mais que uma subida ao topo do monte."

Richard J. Foster

7

O fruto da amizade

Ben Hooper nasceu em 13 de outubro de 1870, no Tennessee. A vida era dura. Ele sofria gozações de crianças na escola porque não tinha pai e se escondia durante o intervalo das aulas. Evitava ir a lojas por medo de ouvir: "Quem é seu pai?". Aos doze anos, começou a frequentar a igreja, mas sempre chegava atrasado e saía antes do final para evitar as pessoas. Mas em um domingo um novo ministro chegou àquela igreja e deu a bênção antes que Ben pudesse escapar. Quando Ben tentava sair do santuário, sentiu uma mão grande lhe segurar o ombro. E ele ouviu a antiga pergunta mais uma vez repetida: "Quem é você, filho? Você é filho de quem?". Ben sentiu o antigo fardo pesar de novo. "Até o pregador está me pondo para baixo." Então ele olhou para cima e viu o pregador sorrindo enquanto dizia: "Espere um minuto! Eu sei quem você é! Vejo a semelhança familiar agora. Você é um filho de Deus!". Então ele deu um tapinha em seu ombro e disse: "Garoto, você tem uma grande herança. Vá e tome-a para si". Ben sorriu pela primeira vez desde muito tempo e saiu para a rua como uma pessoa transformada. Ele disse depois que essa foi a melhor frase que alguém lhe poderia ter dito. Anos mais tarde, ele se tornaria governador do Tennessee.[1]

Cerca de 25% das crianças nos Estados Unidos são como Ben. Estão sendo criadas em um lar sem pai.[2] Há uma epidemia de orfandade paterna neste país. Mas me alegro porque, se somos amigos de Deus, temos um Pai. Assim como Ben, se somos amigos de Deus, podemos dizer que somos filhos de Deus. Temos uma grande herança a reivindicar. Gálatas 4.6 diz: "E, porque nós somos seus filhos, Deus enviou ao nosso coração o Espírito de seu Filho, e por meio dele clamamos: 'Aba, Pai'".

Somos parte da família de Deus. Ele é nosso Pai celestial, e devemos todos perceber a semelhança familiar. A obra do Espírito Santo na vida dos cristãos é tornar-nos parecidos com Jesus. Ele é nosso mestre. Nosso guia. E nosso Encorajador. Ele vive dentro de nós em cada momento de cada dia a fim de desenvolver o caráter de Cristo em nossa vida.

Em *The Deeper Life* [A vida mais profunda], Daniel Henderson diz:

> Se eu quisesse que meus filhos entendessem algumas verdades na vida, provavelmente faria três coisas: tentaria explicar essas verdades, me esforçaria para demonstrá-las e até contrataria um tutor para assegurar que aprendessem essas realidades. Deus, em sua perfeição, providenciou um tutor pessoal. O Espírito Santo é a própria presença de Deus, iluminando nossa mente e guiando nosso coração para uma compreensão e aplicação transformadoras acerca de quem ele é.[3]

O problema para cada um de nós é o pecado. Há uma guerra acontecendo entre nossa carne e nosso espírito. Antes de ficarmos amigos de Deus éramos comandados pela carne, nossa natureza pecaminosa. Fazíamos o que queríamos fazer. A carne é facilmente tentada a fazer o que é errado. Lembro-me de um tempo em que pecava e ficava louco desejando aquilo. Podemos acabar dominados por nossa própria vontade. Mas agora que somos amigos de Deus, o Espírito Santo também habita dentro de nós. Temos dois espíritos vivos em nosso interior, e como amigos de Deus nossa oração sempre deve ser: "Pai, seja feita a tua vontade, assim na terra como no céu. [...] E não nos deixes cair em tentação, mas livra-nos do mal". Preciso que essa seja minha oração todos os dias.

A fábula cheroqui a seguir nos ajuda a compreender o que acontece quando nos tornamos amigos de Jesus:

> Certa vez um ancião e seu neto andavam pela floresta quando o avô se virou para o jovem e disse: "Meu jovem, dentro de nós ocorre uma batalha feroz entre dois lobos. Você sentiu isso desde seus primeiros anos, e eu tenho sentido o mesmo ao longo de toda a minha vida. Um dos lobos é mau: ele é raiva, inveja, ganância, remorso, arrogância, ressentimento, mentiras, ódio e egoísmo. O outro é bom: é amor, alegria, paz, esperança, humildade, amabilidade, empatia, generosidade, compaixão, verdade e fé. Todo mundo tem essa batalha acontecendo dentro de si".
>
> Eles andaram um pouco adiante em silêncio, até que o jovem parou e perguntou: "Vovô, qual lobo vencerá?".
>
> E o sábio ancião respondeu: "Aquele que você alimentar".[4]

O ancião estava certo. Podemos alimentar o lobo mau da carne e, se fizermos isso, não viveremos a vida para a qual Deus nos chama. Mas se alimentarmos o bom lobo, obedecendo ao Espírito Santo, venceremos a batalha. E essa é uma batalha diária. Temos de decidir travar essa batalha todos os dias.

O fruto que a carne produz é terrível e destrói nossa habilidade de ser amigo de Deus e dos outros:

> Quando seguem os desejos da natureza humana, os resultados são extremamente claros: imoralidade sexual, impureza, sensualidade, idolatria, feitiçaria, hostilidade, discórdias, ciúmes, acessos de raiva, ambições egoístas, dissensões, divisões, inveja, bebedeiras, festanças desregradas e outros pecados semelhantes. Repito o que disse antes: quem pratica essas coisas não herdará o reino de Deus.
>
> Gálatas 5.19-21

Mas eu agradeço a Deus pelo que o Espírito Santo está fazendo em nossa vida. Quando começamos a cooperar com o Espírito Santo e seguir sua liderança, somos transformados para sermos como Jesus. E ficamos entusiasmados por nos tornarmos amigos dos outros, sem nos importamos com a cor ou classe social deles, exatamente como fez Jesus. O Espírito Santo começa a produzir em nossa vida o fruto que é o sinal de que pertencemos a ele. E o fruto que ele produz sempre diz respeito a nossa busca pelos outros, nossa busca por amá-los e ajudá-los a se tornarem amigos de Jesus.

> Por mais que desejemos fazer o bem, às vezes falhamos. Mas eu sempre lembro que nosso Deus é um Deus de misericórdia e de graça. Ele perdoa e continua a nos dar um propósito.

Quero deixar claro que o fruto do Espírito Santo é um fruto que se revela em muitas virtudes. E é isso o que cada crente é chamado a mostrar: todas elas. Isso é parte de nosso discipulado cristão. Não podemos nos destacar em um aspecto e deixar os outros de lado. Às vezes escuto pessoas dizerem: "Consigo ser uma boa pessoa, mas não consigo perdoar. Consigo amar, mas não consigo ser paciente". O fruto do Espírito é um fruto com diferentes aspectos.

Não é de surpreender que o fruto que o Espírito Santo produz inicie com amor:

> Mas o Espírito produz este fruto: amor, alegria, paz, paciência, amabilidade, bondade, fidelidade, mansidão e domínio próprio. Não há lei contra essas coisas! Aqueles que pertencem a Cristo Jesus crucificaram as paixões e os desejos de sua natureza humana. Uma vez que vivemos pelo Espírito, sigamos a direção do Espírito em todas as áreas de nossa vida. Não nos tornemos orgulhosos, provocando e invejando uns aos outros.
>
> Gálatas 5.22-26

O fruto do Espírito Santo produz o que é necessário para que andemos com Deus e uns com os outros. Fico entusiasmado com isso, porque não depende de eu ser perfeito ou de nunca cometer um erro. Ele é grande o bastante para cobrir minhas trapalhadas. Penso em Pedro. Ele era o discípulo que fez a corajosa afirmação registrada em Mateus 26.33: "Pode ser que todos os outros o abandonem, mas eu jamais o abandonarei". Ele prometeu a Jesus que, independentemente do que alguém ou todos os outros fizessem, ele nunca o deixaria.

Entretanto, apenas algumas horas depois, Pedro negou por três vezes que até mesmo *conhecesse* Jesus. Posso imaginar sua tristeza. Imagino o que Pedro deve ter sentido no fundo de seu coração: "Falhei no último minuto, mesmo estando junto dele. Eu andei a seu lado. Mas minha amizade não era profunda o suficiente". Contudo, Jesus não deixou Pedro se afundar em sua miséria. Após a ressurreição, encontrou Pedro no mar da Galileia e compartilhou com ele uma refeição. Três vezes ele perguntou a Pedro se o amava. E, finalmente, ele disse ao discípulo: "Então alimente minhas ovelhas" (Jo 21.17). Embora Pedro o tenha negado, Jesus o restaurou e o colocou de volta aos trilhos para trabalhar por ele.

Quando penso na guerra entre a carne e o espírito, isso pode parecer assustador. Por mais que desejemos fazer o bem, às vezes falhamos. Mas eu sempre lembro que nosso Deus é um Deus de misericórdia e de graça. Ele perdoa e continua a nos dar um propósito. Ele continua nos lembrando de que tem um plano para nossa vida. Um plano para o bem e não para o mal, de nos dar esperança e um futuro. Isso me deixa muito feliz.

O FRUTO DO ESPÍRITO É AMOR

Utilizo o restante deste capítulo para discorrer sobre o fruto do Espírito porque é isso que nos possibilita ser verdadeiramente amigos uns dos outros. Amo o fato de que a primeira ideia apresentada seja a de **amor**. Amor é afeição, adoração e compaixão pelos outros. Não se deixa restringir por barreiras de cor, gênero ou classe. O amor de Jesus é o fator que motiva a vida de cada crente. É disso que o mundo precisa tão encarecidamente, e é o que o Espírito Santo produz em nossa vida e coração se somos amigos de Deus.

Eu estava caminhando pelo meu escritório quando o telefone tocou. Atendi. Uma mulher estava na linha, e ela disse: "Queria falar com minha irmã". Respondi: "Aqui é o John Perkins, quem é você? Você sabia que Deus a ama?". Ela imediatamente se desmanchou. Desatou a chorar. E ela nem me conhecia. Mas estava passando por algumas dificuldades, e tão somente escutar que Jesus a amava foi demais para ela. Achando que a ligação havia caído, eu já estava desligando quando ela disse: "Não! Por favor, não desligue!". Ela não queria que eu parasse de lhe falar sobre Jesus. Eu disse: "Não me importa o que você fez, Jesus Cristo a ama!".

Eu queria muito que ela soubesse do amor de Jesus. Esse é o tipo de amor que nos acompanhará por toda a vida, aconteça o que acontecer. É disso que as pessoas feridas precisam, e também é o que ele produz no coração de cada um de nós. Ele nos dá a habilidade de amar a todos, independentemente da aparência ou procedência. Até onde pudermos, devemos buscar os outros e lhes estender a mão. Louvo a Deus por todas as oportunidades de amar assim! Isso é poderoso. Eu não sabia que o telefone ia tocar naquele exato momento. E é claro que eu não sabia que aquela senhora iria ligar. Mas ele sabia. E quando ela falou comigo, foi uma oportunidade divina de tornar Jesus conhecido.

O FRUTO DO ESPÍRITO É ALEGRIA

O Espírito Santo também produz alegria em nosso coração. **Alegria** é como um ímã que atrai os olhos do mundo. Pharrell Williams gravou uma canção anos atrás que conquistou todo o mundo da música. O nome da canção era "Happy" [Feliz]. Tem uma batida que gruda na mente e parecia falar do que as pessoas precisavam. O mundo fala sobre ser feliz. O problema da felicidade é que depende de as coisas acontecerem do jeito que as pessoas querem. Mas a alegria que o Espírito Santo produz não depende de as coisas acontecerem de determinada maneira. Podemos estar cheios de alegria mesmo em meio a circunstâncias muito difíceis. Sempre fico encantado quando penso em Paulo e Silas na prisão após terem sido espancados por pregarem o evangelho. As Escrituras dizem que "por volta da meia-noite, Paulo e Silas oravam e cantavam hinos a Deus, e os outros presos ouviam" (At 16.25).

> Quais são as âncoras da verdade às quais você se agarra quando a vida se complica?

Eles cantavam e louvavam a Deus! Isso, sim, é alegria. Eles haviam sofrido maus-tratos e não tinham como saber o que lhes aconteceria no dia seguinte. Ainda assim, alegravam-se.

Isso deve ter parecido estranho e incomum para o carcereiro. E quando Deus sacudiu a prisão para libertá-los, Paulo teve a oportunidade de compartilhar o evangelho com o carcereiro e sua família. Todos eles se tornaram amigos de Deus. Adoro essa história porque ela diz que, se você conseguir cantar durante uma tempestade, outros poderão ser atraídos a Jesus.

Eles vão querer saber: "Como é que você pode cantar enquanto está passando por algo tão terrível?". Essas questões nos dão a oportunidade de lhes dizer que o amor maravilhoso de Jesus está disponível para eles. Sua alegria transparece desse modo?

Acredito que Paulo nos abriu seu segredo sobre alcançar alegria mesmo em meio a tudo o que acontece à nossa volta quando ele escreveu à igreja de Éfeso: "Portanto, vistam toda a armadura de Deus, para que possam resistir ao inimigo no tempo do mal. Então, depois da batalha, vocês continuarão de pé e firmes" (Ef 6.13). Permanecemos de pé com base no que sabemos e nas convicções que firmamos. Elas são a nossa razão para nos alegrarmos.

Diz-se que Martinho Lutero, na Dieta de Worms, quando a Igreja Católica Romana desafiou suas convicções, declarou: "Aqui permaneço eu. Não há nada mais que eu possa fazer". Tenho um amigo próximo que está internado em um hospital para pacientes terminais. Eu ligo para ele todos os dias para saber como ele está. Quando conversamos ontem, ele disse: "Estou pronto para encontrar meu Criador". E ele disse isso com alegria. Essa alegria vinha da firme convicção de que ele estaria com Jesus em breve. Isso é alegria! E está sempre conectada a uma verdade sobre Deus. Quais são as âncoras da verdade às quais você se agarra quando a vida se complica?

O FRUTO DO ESPÍRITO É PAZ

Outro aspecto importante do fruto que o Espírito Santo produz em nosso coração é a paz. **Paz** é definida como "Completo bem-estar, prosperidade e segurança associados à presença de Deus entre seu povo. [...] No Novo Testamento, entende-se que essa ansiada paz veio em Cristo e pode ser experimentada pela fé".⁵ Nossa paz repousa no caráter e na pessoa de Cristo. Aqueles que são amigos de Deus deveriam ser conhecidos como pessoas de paz, não de guerra. Fico muito preocupado quando observo o que está acontecendo em meu país hoje. As pessoas tomam lados opostos em uma batalha política que nos põe em guerra uns com os outros. Essa é a primeira vez em minha vida que fizemos do ódio uma virtude. Não acho que temos noção do poder das palavras que proferimos em nossa cultura hoje, e isso inclui até cristãos brigando com cristãos! O puritano inglês William Gurnall disse: "Se o evangelho não nos autoriza a pagar nossos inimigos na mesma moeda, retribuindo raiva por raiva, então seguramente proíbe um irmão de cuspir fogo na face de outro irmão".⁶

Para que tenhamos paz uns com os outros, o Espírito Santo nos ajuda a cruzar qualquer barreira criada pelos homens. Até mesmo barreiras étnicas? Sim, ele nos ajuda a vencer a guerra da reconciliação racial. Essa batalha tem sido o propósito de minha vida, e sei que não posso reivindicar nenhum crédito pelas batalhas vencidas. Foi o trabalho dele por intermédio de nossas mãos que alcançou algo de bom. Ele nos faz lembrar que temos muita coisa em comum apesar de nossas diferenças. Jesus ensinou a seus discípulos: "Felizes os que promovem a paz, pois serão chamados filhos de Deus" (Mt 5.9). Promover a paz é um traço da família de Deus. Quando nós, filhos de Deus, trabalhamos pela paz, estamos demonstrando uma característica própria da família. Devemos todos nos parecer com Jesus. Devemos todos promover a paz.

O FRUTO DO ESPÍRITO É PACIÊNCIA

A ideia de **paciência** é conter a raiva e ser tolerante com os outros. Jesus serviu de modelo para essa atitude em suas reiteradas respostas a seus discípulos. Ele foi paciente com os discípulos quando eles não conseguiram ficar acordados e vigiar com ele no jardim Getsêmani (ver Mt 26.36-46). Foi paciente com os soldados romanos que lançaram sortes por suas roupas e o crucificaram, embora ele pudesse ter convocado uma legião de anjos para resgatá-lo. Diante dos maus-tratos, nossa resposta carnal é contra-atacar de imediato. É isso o que as pessoas esperam que façamos. Se alguém lhe faz um insulto étnico, você desfere outro em resposta. Se alguém o amaldiçoa, você o amaldiçoa de volta. Se alguém bate em você, você revida com mais força. Mas Jesus ensinou a seus seguidores um padrão diferente. Ele disse: "Eu, porém, lhes digo que não se oponham ao perverso. Se alguém lhe der um tapa na face direita, ofereça também a outra" (Mt 5.39).

O Espírito Santo dentro de nós pode nos dar o poder de fazer isso. É o que caracterizou o movimento pelos direitos civis e lhe deu um poder incomum. Foram as imagens de negros e simpatizantes brancos dispostos a ser objeto de agressão, cuspes e até morte, sem revidar, o que atraiu a atenção do mundo ao redor. Esse tipo de estilo de vida radical é o que o Espírito Santo nos capacita para viver. Esse exemplo de paciência em face do mal chama a atenção do mundo e nos providencia oportunidades para apresentar outras pessoas a Jesus.

O FRUTO DO ESPÍRITO É AMABILIDADE E BONDADE

Amabilidade e **bondade** são conceitos difíceis de identificar. São mais bem-entendidos pelas ações que produzem. No Antigo Testamento, quando Boaz disse a seus homens que deixassem alguns feixes de cevada para Rute colher, Noemi disse: "O SENHOR o abençoe! [...] O SENHOR não deixou de lado sua bondade tanto pelos vivos como pelos mortos" (Rt 2.20). Jesus mostrava grande amabilidade ao lidar com crianças e com os que viviam às margens da sociedade. O oposto da amabilidade é o abuso, a dureza, a grosseria.

Em Lucas 6.34-35, Jesus diz a seus discípulos que façam o bem a todos, até mesmo a seus inimigos. Com isso nos assemelhamos a Deus nosso Pai, que é "bondoso até mesmo com os ingratos e perversos". Você pode imaginar como seria nosso mundo se todos nós que somos seguidores e amigos de Jesus puséssemos isso em prática? Seria um imenso contraste com o espírito mesquinho e as palavras ríspidas que são comuns nos dias de hoje. Acredito que viraríamos o mundo de cabeça para baixo se praticássemos atos de amabilidade e de bondade que apontassem Jesus para as pessoas.

O FRUTO DO ESPÍRITO É FIDELIDADE

Fidelidade é "a característica de alguém em quem se pode confiar, de alguém que cumpre suas promessas".[7] Jesus foi exemplo de fidelidade por toda sua vida neste mundo. O escritor de Hebreus disse que "Jesus Cristo é o mesmo ontem, hoje e para sempre" (13.8). Ele não mudava seu caráter de acordo com o grupo com o qual estava. Não mudava seu propósito porque os ventos políticos mudaram. Ele era fiel.

Não consigo pensar em muitas coisas mais necessárias hoje que a necessidade de que nossas palavras sejam verdadeiras e as pessoas possam confiar que não estamos sendo falsos ou desonestos. De que uma promessa feita é uma promessa cumprida. Isso é crucial para amizades saudáveis, e é de extrema importância para a formação de novas amizades e relacionamentos. Promessas não cumpridas podem facilmente desestruturar amizades. Mas nós podemos ser gratos pela obra do Espírito Santo em nossa vida. Ele nos ajuda a honrar nossas palavras e a sermos fiéis naquilo que dizemos.

O FRUTO DO ESPÍRITO SANTO É MANSIDÃO

Mansidão é brandura, gentileza, humildade. Atualmente, é muito difícil encontrar essa qualidade à mostra. Nossa cultura aplaude pessoas que são impetuosas e arrogantes. Quem se autopromove consegue maior atenção e apoio. Mas o propósito de Deus é que seus amigos se caracterizem pela mansidão. Oswald Sanders compartilhou esta citação de Robert Morrison em *Liderança espiritual*: "A grande falha, penso eu, em nossa missão é que ninguém gosta de ficar em segundo lugar", e Sanders acrescenta que "o mundo ainda está para ver o que aconteceria se todos perdessem o desejo de obter glória. Não seria o mundo um lugar maravilhoso se ninguém se importasse com quem recebe os créditos?".[8]

O oposto de brandura, gentileza e humildade é orgulho. O orgulho afasta as pessoas e dificulta que atravessemos a barreira rumo à amizade. Estou constantemente atento a essa luta interior. Não quero atrapalhar o que o Espírito Santo está tentando fazer em meu coração.

O FRUTO DO ESPÍRITO É DOMÍNIO PRÓPRIO

Domínio próprio é a autorrestrição que procede de *dentro* da pessoa, mas *não pela própria pessoa*. Para o cristão, "domínio próprio, o domínio do Espírito", só pode ser realizado *pelo poder do Senhor*.[9] Estar sob controle do Espírito é estar cheio dele. Acredito que muitas pessoas mal direcionadas têm a ideia de que se trata apenas de um acordo emocional. Mas estar cheio do Espírito Santo significa ser controlado por ele.

Conta-se a história sobre uma ocasião em que D. L. Moody falava a uma grande plateia. Segurando um copo, ele perguntou: "Como posso retirar o ar deste copo?". Um homem gritou: "Sugue o ar com uma bomba!", ao que Moody respondeu: "Isso criaria um vácuo que faria o copo em pedaços". Após várias outras sugestões, Moody sorriu, pegou uma jarra de água e encheu o copo. "Aqui está", disse ele, "todo o ar foi removido." Em seguida, passou a explicar que a vitória na vida cristã não é alcançada "sugando pecados aqui e ali", mas pelo preenchimento do Espírito Santo.[10] Quando estamos cheios do Espírito, ele nos controla totalmente. É ele por completo e nada de mim.

> Acho que muitas pessoas acreditam que orar é apenas conversar com Deus; mas é mais do que isso. Eu ouço sua voz e ele me lembra do que ele disse em sua Palavra.

Bill Bright, fundador do Campus Crusade for Christ, compartilha três passos para sermos preenchido pelo Espírito Santo.[11]

1. Desejar viver uma vida que agrade a ele. Ele promete que se tivermos sede e fome dele, ele nos preencherá com sua justiça.

2. Dispor-se a uma entrega completa a ele. Em Romanos 12, Paulo nos exorta a oferecer a Deus nosso corpo como sacrifício vivo. Isso significa que morremos para nosso egoísmo.

3. Pedir ao Espírito Santo que nos traga à lembrança qualquer pecado não confessado. "Mas, se confessamos nossos pecados, ele é fiel e justo para perdoar nossos pecados e nos purificar de toda injustiça" (1Jo 1.9).

O ESPÍRITO SANTO É CONFIÁVEL

Muitas vezes rolo para fora da cama no meio da noite e sinto que tenho de ficar diante do Espírito em oração. Acho que muitas pessoas acreditam que orar é apenas conversar com Deus; mas é mais do que isso. Eu ouço sua voz e ele me lembra do que ele disse em sua Palavra. Busco nele a força que não tenho porque cheguei ao fim das minhas forças, e ele sempre provê exatamente aquilo de que preciso.

Todos podem ser encorajados porque o fruto do Espírito — amor, alegria, paz, paciência, amabilidade, bondade, fidelidade, mansidão e domínio próprio — é obra dele. Não precisamos cerrar os dentes e envidar esforços por conta própria a fim de desenvolver o fruto. Mas precisamos cooperar com ele à medida que ele nos incita e nos fala por meio da Palavra e também das circunstâncias. E ele está sempre falando.

> Um ex-guarda florestal do Parque Nacional de Yellowstone conta a história de outro guarda que levava um grupo de visitantes a um posto de vigia de incêndios. O guarda estava tão empenhado em contar ao grupo sobre as flores e os animais ao redor que considerou uma distração as mensagens em seu rádio portátil e o desligou. Perto da torre, o guarda encontrou um vigia quase sem fôlego, que perguntou por que ele não havia respondido às mensagens em seu rádio. Um urso pardo perseguia o grupo e as autoridades tentavam alertá-los sobre o perigo. Sempre que dessintonizamos as mensagens que Deus nos envia, colocamos em risco não só a nós mesmos, mas também aqueles à nossa volta.[12]

O Espírito Santo está falando. E o que ele está fazendo no coração de todos que pertencem a Deus é um trabalho interno. Ele nos dá dons espirituais para desenvolvermos em serviços a outros. Em Romanos 12 e 1Coríntios 12, encontramos uma lista de dons espirituais. Cada cristão tem pelo menos um dom, e ninguém os tem todos. O propósito divino é que saibamos que precisamos uns dos outros na caminhada cristã.

O Espírito Santo nos equipa para que conheçamos a Deus e o tornemos conhecido. Ele reproduz o caráter de Cristo em cada um de nós. Ele nos dá a habilidade de amar cobradores de impostos, prostitutas e leprosos, assim como fez Jesus. Ele nos incita a atravessar todas as barreiras conhecidas pela humanidade a fim de que façamos amigos e ajudemos outras pessoas a conhecer nosso Deus. Falaremos sobre como fazer amizade com outras pessoas no próximo capítulo, mas estou muito feliz por você ouvir um amigo especial que tem sido como o Espírito Santo em minha vida há mais de trinta anos. Ele esteve comigo nos bons e nos maus momentos. Em dias de sol e de chuva. Espero que você seja encorajado pela história de Wayne Gordon.

Vamos ouvir Wayne Gordon:

Amizade
SIGNIFICA IR FUNDO

Lembro-me de ouvir John Perkins falar na capela do Wheaton College, em meu último ano de faculdade. Quando ele terminou de falar, meu coração se encheu de um sentido de *Sim, ele falou sobre o que tu, ó Deus, havias me chamado para fazer.* A partir daquele momento John Perkins se tornou um herói para mim. No ano seguinte ele escreveu o livro *Let Justice Roll Down* [Corra a justiça]. Eu o li de imediato, e teve início meu privilégio de toda uma vida de aprender com John.

Bem, isso seria suficiente por si só. Mas agradeço a Deus por minha esposa, Anne, e eu termos ido ao Jubileu de 1982, na cidade de Jackson, Mississipi. John Perkins e outras pessoas do ministério Voice of Calvary [Voz do Calvário] patrocinaram o evento. Foi lá que conhecemos John pessoalmente. Lembro-me de uma breve primeira conversa com ele e de lhe contar um pouco sobre o que estávamos fazendo em Lawndale. Começou assim o processo pelo qual ele passou de herói para ser uma grande influência em minha vida: de professor, tornou-se mentor, colega de trabalho, camarada, amigo — e, agora, melhor amigo. Agora somos almas gêmeas na vida. Temos o privilégio de falar pelo telefone quase todos os dias. Hoje mesmo, aliás, falei com ele duas vezes.

John aceitou ser parte do conselho consultivo da Lawndale Community Church e nos aconselhar quando estávamos lutando para ter um ministério aqui em Chicago. Um dia, recebi uma ligação de John na qual ele disse que viria pregar no Instituto Bíblico Moody. Ele perguntou se eu poderia buscá-lo no aeroporto. Ele tinha algumas horinhas de folga e gostaria de ver o que estávamos fazendo em Lawndale. Lembro-me desse dia vividamente. Foi antes dos dias de segurança pesada nos aeroportos, e pude ir até o portão de desembarque. Olhando em volta comecei a pensar: "Certamente alguém mais virá buscá-lo. Impossível que seja eu a buscar John Perkins no aeroporto!". Então, quando ele desceu do avião eu o reconheci imediatamente e fui até ele. Ninguém mais havia ido buscá-lo! A tarefa cabia a mim.

Eu o levei à nossa comunidade de North Lawndale, na zona oeste de Chicago, e mostrei o lugar, compartilhando alguns de nossos sonhos. John gosta de refletir que não havia nada ali a não ser muita conversa. Anne nos havia preparado um almoço, então fomos ao nosso apartamento para comer. Conversamos e John iniciou com Anne e eu o processo de mentoria de nosso trabalho em Chicago.

Nos quatro ou cinco anos seguintes, eu o escutei falar ou me encontrei com ele duas ou três vezes por ano. Era o início da conexão entre nossos corações em vista de nosso propósito comum de fazer a diferença na América urbana. Começamos a realizar seminários de treinamento ministerial urbano durante as reuniões de conselho no outono de cada ano. John era sempre um dos oradores principais com quem aprendemos, não apenas eu, mas também as outras pessoas de nossa igreja e de outras igrejas em Chicago.

Foi no final da década de 1980 que começamos a conversar sobre expandir essas conferências ministeriais urbanas e nos tornarmos uma associação nacional. Foi o começo da Christian Community Development Association (CCDA), para pessoas como nós que ministravam em áreas urbanas de todo o país. John se tornou presidente do conselho e eu, o primeiro presidente executivo da CCDA. Continuamos a liderá-la juntos pelos 25 anos seguintes.

Durante essa época, começando em 1995, John e eu tivemos o privilégio de viajar juntos. Fomos a mais de cem cidades para realizar seminários de fim de semana. Tínhamos por hábito ficar no mesmo quarto de hotel, o que nos permitia conversar durante todo o nosso tempo juntos. Foi quando nosso relacionamento de mentoria passou a ser o de colegas de trabalho e de camaradas.

Durante os últimos 35 anos, quase sempre que John está em Chicago ele fica em nossa casa. Isso permitiu que ele fosse muito próximo de toda a minha família. Minhas crianças o chamam de Vovô Perkins. Ele e Anne têm um relacionamento excepcional que é único e profundo. JP acorda cedo e sempre tem um novo pensamento em sua mente. Está sempre buscando a verdade, e é divertido estar com ele e seus primeiros pensamentos pela manhã. Anne sempre compete comigo para ser a primeira a encontrar John de manhã, assim ela pode conhecer de imediato seus *insights* recém-formulados.

Uma das coisas que aprecio demais em JP é que ele é se preocupa comigo em um nível bastante pessoal. Fazemos perguntas difíceis um ao outro e somos capazes de olhar profundamente na alma um do outro. Com frequência acontece de um de nós completar a frase que o outro iniciou. Foi na busca pela verdade de JP que nosso relacionamento se edificou.

E foi por meio do ministério e do propósito comum que John e eu aprofundamos nosso amor um pelo outro. Sou muito grato pela imensa bênção de ter essa amizade profunda com JP. O modo como amamos um ao outro e nos incentivamos mutuamente todos os dias é uma alegria imensa para mim. Valorizo isso como um grande e profundo privilégio.

Sei que ele chama muitas pessoas de seu melhor amigo. Já o ouvi referir-se a outras pessoas dessa forma inúmeras vezes. Essa é sua natureza. Qualquer pessoa que esteja com ele no momento é seu melhor amigo. E sou grato por ser ao menos um desses "melhores amigos".

WAYNE "COACH" GORDON

Wayne Gordon é o pastor da Lawndale Community Church e presidente executivo da CCDA. Vive em Chicago, Illinois.

Parte 4

———————

AMIZADE COM OS OUTROS

*"A amizade nasce no momento
em que uma pessoa diz à outra:
'O quê! Você também? Pensei que eu fosse o único'."*

— C. S. Lewis

8

Superando barreiras

Nos últimos anos, Chase Hansen, de nove anos, se sentou com pessoas sem-teto para descobrir como ajudá-las. Ele e seu pai, John, iniciaram o Projeto Empatia, uma refeição particular entre um sem-teto e uma pessoa que dispõe de um lugar para morar. Eles escutam a história da pessoa e identificam como podem ajudar. Nas palavras de Chase: "O Projeto Empatia foi pensado para ajudar essas pessoas a conseguir um amigo e dar um passo adiante, arrumar um emprego, aprender princípios de vida e o que podem fazer melhor". Um homem que eles puderam ajudar foi seu amigo Justin, que disse: "Eles me ajudaram muito, sobretudo a ver que tenho valor próprio".[1]

Chase, que recebeu do governador de Utah um prêmio por serviços prestados, tem uma multidão de novos amigos porque enxergou as necessidades deles e se importou o suficiente para atendê-las. Adoro essa história. Ela me dá esperança. E me lembra de que por vezes precisamos ver o mundo com os olhos de uma criança. Uma criança que não tenha sido marcada e contaminada pelas barreiras e obstáculos que erigimos ao dizer: *Não vá lá, não fale com eles.* Por vezes precisamos de uma criança para nos conduzir em meio às barreiras.

AMIZADE COMEÇA COM O OUTRO

As pessoas sempre me perguntam: "John, como você faz amigos?". A primeira coisa é conhecer e entender o outro. A primeira coisa de que as pessoas querem falar é um plano. Não se começa com um plano, mas com as pessoas e com o que elas trazem. Assim se criam vínculos que as unem. O plano decorre do que elas querem fazer. O que eu gostaria de fazer pode ser totalmente diferente do que realmente precisa ser feito.

Temos um conceito de percepção de necessidade na Christian Community Development Association (CDAA). É assim que descobrimos as necessidades mútuas que nos conectam sem que nos desumanizemos, reconhecendo a dignidade do outro. É preciso descobrir as necessidades e os desejos mais profundos das pessoas. Usamos as palavras deste poema para orientar nossos esforços:

> Vá às pessoas, viva entre elas, aprenda com elas, ame-as. Comece pelo que elas sabem, construa com base no que elas têm: porém, dos melhores líderes, quando a tarefa estiver terminada, as pessoas comentarão: "Fomos nós mesmos que fizemos".[2]

A amizade com os outros é um mandamento nas Escrituras. Jesus ensinou que devemos amar o próximo como a nós mesmos. Quando um jovem perguntou quem era seu próximo, Jesus respondeu contando a história do bom samaritano. Podemos aprender muito com essa história em Lucas 10.30-37 sobre como fazer amizade com um desconhecido:

> "Certo homem descia de Jerusalém a Jericó, quando foi atacado por bandidos. Eles lhe tiraram as roupas, o espancaram e o deixaram quase morto à beira da estrada.

"Por acaso, descia por ali um sacerdote. Quando viu o homem caído, atravessou para o outro lado da estrada. Um levita fazia o mesmo caminho e viu o homem caído, mas também atravessou e passou longe.

"Então veio um samaritano e, ao ver o homem, teve compaixão dele. Foi até ele, tratou de seus ferimentos com óleo e vinho e os enfaixou. Depois, colocou o homem em seu jumento e o levou a uma hospedaria, onde cuidou dele. No dia seguinte, deu duas moedas de prata ao dono da hospedaria e disse: 'Cuide deste homem. Se você precisar gastar a mais com ele, eu lhe pagarei a diferença quando voltar'.

"Qual desses três você diria que foi o próximo do homem atacado pelos bandidos?", perguntou Jesus.

O especialista da lei respondeu: "Aquele que teve misericórdia dele".

Então Jesus disse: "Vá e faça o mesmo".

O samaritano se tornou amigo do homem que foi espancado porque enxergou do que ele precisava. Teve compaixão dele e atendeu sua necessidade, assim como Jesus faria. Sua reação foi totalmente diferente da do pastor e do levita. Ambos eram homens religiosos. Há muita discussão sobre por que eles seguiram em frente em vez de parar e ajudar. Ao que tudo indica, suas regras religiosas os impediam de se importar o bastante para prestar ajuda.

Se nossa religião impede que ajudemos pessoas em necessidade, é provável que se trate do tipo errado de religião. Se nossa religião nos permite olhar para pessoas que estão sofrendo e em grande necessidade mas depois passar ao largo delas, há algo errado. Não cuidar não é uma opção, se somos amigos de Deus e se o Espírito Santo está reproduzindo em nosso coração e em nossa vida o caráter de Cristo. Não cuidar, para alguém que é amigo de Deus, é como não respirar. Temos de respirar para sobreviver. E temos de cuidar para sobreviver, pois o cuidado é o que nos faz espiritualmente vivos. Aviva a paixão em nosso coração e nos torna um imã que atrai os outros.

Não consigo ver outras pessoas feridas e olhar para o outro lado. Não fui criado dessa maneira. Meu coração se parte quando vejo a dor delas. Paixão significa entrar na dor e no sofrimento do outro. E acho que é isso o que Jesus espera que façamos. Quando muitos anos atrás andávamos pelas ruas de Mendenhall, Mississipi, ajudando as pessoas a se registrarem para votar, nós viajamos pelo interior e nos sentamos com as pessoas em seus barracos apertados. Nosso coração se condoía com a necessidade que elas tinham de moradias decentes. Essa agitação em nosso coração levou ao primeiro conjunto habitacional negro naquela região. A cada momento, sempre que percebíamos uma necessidade, éramos compelidos a fazer o possível para atendê-la.

Queríamos ser como o bom samaritano a cada vez que identificássemos uma necessidade. Queríamos ser as mãos e os pés de Jesus para as pessoas que sofriam. Lembro-me de uma mulher cujo filho vivia em Chicago. Ele adoeceu gravemente, e os médicos não esperavam que vivesse muito. Mas essa mãe não queria outra coisa senão ver seu filho mais uma vez e trazê-lo de volta ao Mississipi antes que ele morresse. Ir de trem ou de transporte público estava fora de questão, pelo custo e pela preocupação que era uma mulher viajar sozinha pelo sul do país. Então nós a levamos de carro até Chicago para encontrar seu filho e trazê-lo de volta ao Mississipi. Não consigo colocar em palavras a alegria no rosto daquela mulher ao ver e abraçar seu filho uma vez mais. Aprendi muito sobre o que significa entrar na dor de outra pessoa. A dor dela se torna a nossa. E também a alegria dela se torna a nossa.

Nosso mundo hoje está repleto de pessoas que sofrem. É quase preciso ter uma venda nos olhos para evitar vê-las quando andamos pelas ruas. São os sem-teto. São as damas da noite. São os jovens sem propósito que espreitam pelas ruas. São os traficantes e os viciados. Os marginalizados de nossos dias... as mesmas pessoas com quem Jesus dividiria uma refeição e passaria tempo. São pessoas que estão do outro lado das barreiras que erigimos. Por vezes essas barreiras estão associadas com classe social ou religião. Outras vezes dizem respeito à cor da pele.

A AMIZADE SUPERA A BARREIRA DA COR

Aprendi que a amizade pode nos fazer superar barreiras étnicas até mesmo em territórios como o da Ku Klux Klan. Meu amigo Tommy Tarrants é um ex-membro da Klan. Ele se opôs à dessegregação racial no Sul e era conhecido como "o homem mais perigoso do Mississippi", acusado por muitos dos bombardeios que atingiram igrejas e sinagogas ali. Ele foi autuado e enviado à prisão. Lá ele leu os Evangelhos e passou por uma conversão que transformou sua vida. O que ele leu o convenceu de que o racismo era um erro: "Não há mais judeu nem gentio, escravo nem livre, homem nem mulher, pois todos vocês são um em Cristo

> Construímos algumas barreiras difíceis de derrubar em nosso país hoje. São barreiras raciais e políticas. São horríveis. São erradas. Se somos amigos de Deus e o Espírito Santo vive em nosso coração, devemos renunciar à intolerância e ao preconceito político.

Jesus" (Gl 3.28). Ele renunciou à Klan e devotou a vida a servir a Cristo e a promover a paz que somente Cristo pode dar. Tommy e eu nos encontramos pela primeira vez quando ambos fomos convidados para falar no Geneva College, no outono de 1990. Eu não tinha certeza de que acreditava em sua mudança. Então o levei a uma sala com muitos alunos negros onde eu iria falar. Mas em vez disso eu convidei Tommy para falar. Queria ver se os estudantes acreditariam que ele havia mudado.

Tommy disse:

> Cresci na cidade de Mobile, no Alabama dos anos 1960. Era um garoto de igreja. Fui batizado. Me considerava um cristão. Acreditava que os negros eram inferiores aos brancos e que os judeus, que estavam promovendo a integração, eram a fonte de todo o mal. Em dado momento, isso começou a resultar em violência. [...] Mas Deus mudou meu coração e me deu uma atitude de amor para com as pessoas.[3]

Ele incentivou os estudantes a "ter um amigo de uma raça diferente e a conhecê-lo como um amigo, a entender o que é a vida para ele".[4] *The Preacher and the Klansman* [O pregador e o homem da Klan] conta nossa história de amizade; mais tarde, escrevemos *He's My Brother: Former Racial Foes Offer Strategy for Reconciliation* [Ele é meu irmão: Antigos inimigos raciais oferecem estratégias para reconciliação].[5] Atualmente Tommy é presidente do Instituto C. S. Lewis em Washington D.C. Compartilho essa história porque, se casos de intolerância extrema podem ser desfeitos pela amizade, então não há desculpas para que negros, brancos, hispânicos, asiáticos, indígenas e quaisquer outros não embarquem na jornada da amizade.

Construímos algumas barreiras difíceis de derrubar em nosso país hoje. São barreiras raciais e políticas. São horríveis. São erradas. Se somos amigos de Deus e o Espírito Santo vive em nosso coração, devemos renunciar à intolerância e ao preconceito político. Devemos ter amigos de direita, de esquerda, de centro. Devemos ter amigos de qualquer etnia sob o céu. Por que quereríamos ir para o céu, onde todas as tribos de quaisquer línguas estarão adorando a Deus reunidas aos seus pés, se não queremos ser amigos de todos agora?

AMIZADE PODE SER MENTORIA

A amizade pode se basear em uma necessidade, como foi para os amigos de Chase. Pode nos fazer derrubar barreiras étnicas e de classe, como ocorreu entre mim e Tommy. Mas também pode ser vista como mentoria. Reflito sobre como o apóstolo Paulo escreveu a seus filhos no ministério, Timóteo e Tito. Ele lhes deu diretrizes sobre o que significa ser um líder. Disse-lhes que não tivessem medo de ser corajosos para o Senhor e que não desanimassem por serem jovens. Havia muito que eles precisavam saber, e Paulo estava disposto a ensiná-los.

Mardoqueu é um personagem do Antigo Testamento que mentoreou sua jovem prima Ester como se ela fosse sua filha. Seus conselhos permitiram que ela se tornasse rainha da Pérsia. E quando os judeus, seu povo, foram ameaçados de extermínio, ele a lembrou de que Deus a havia colocado no palácio para que pudesse ajudar seu povo. Quando pareceu que ela não o ouvia, ele lhe disse palavras duras: "Se ficar calada num momento como este, alívio e livramento virão de outra parte". Suas palavras de sabedoria a ajudaram a enxergar a situação de maneira diferente, e ela resolveu apelar ao rei por seu povo, mesmo correndo riscos pessoais. Ela disse: "Se eu tiver de morrer, morrerei" (Et 4.16). Mas tais palavras foram ditas por causa do conselho de um mentor forte e amigo. A amizade pode ser assim. Pode ser mentoria.

Fui abençoado por ter tido alguns mentores que me motivaram desde cedo em minha vida e me mantiveram na direção correta. Um desses amigos e mentores especiais foi o Sr. R. A. Buckley. Ele é o ser humano mais inteligente que já conheci. Teve uma educação modesta, mas era brilhante. Ele se juntou à igreja em Mendenhall quando voltei e se tornou o pai que eu nunca tive. Ele me dizia: "Seja um bom pai". Mas eu não sabia o que isso significava. Ele dizia "Você *tem* de ser um pai *melhor*".

Fui buscá-lo um dia e lhe dei uma carona até a cidade. Eu estava com uma moça em meu carro, com quem precisava conversar sobre o movimento dos direitos civis. Essa moça esteve no carro comigo pelos dez minutos que levei até a zona rural para buscar o Sr. Buckley. Ele disse que eu não deveria ficar a sós com uma mulher em um carro. Insistiu: "Nunca faça isso de novo. Nunca faça isso de novo!". E eu nunca fiz aquilo de novo.

Mama Wilson na Califórnia se tornou a mãe que nunca tive. Isso foi logo após eu me converter. Ela só tinha um filho e estava me discipulando. Na verdade, ela disse que eu a estava discipulando. Disse que eu ensinava a Bíblia como ela nunca havia ensinado antes. Tentei não deixar aquilo me subir à cabeça, pois nunca chega um tempo em que ficamos mais espertos que nossa mãe. Ela nos dará um tapa cheio de amor. Mama Wilson me ensinou a viver. Eu havia saído da Califórnia por um tempo e, enquanto eu estava fora, seu único filho foi morto em um acidente de carro. Quando voltei para a Califórnia, ela tomou todo o amor que tinha por seu filho e o despejou sobre mim. Seu amor me curava. Seu tipo de amizade, fundamentado na mentoria, me ajudou em minha pregação e em meu modo de viver.

E eu me lembro da Sra. James. Ela se tornou grande amiga de Vera Mae. Foi minha secretária e era professora aposentada. Estava na casa dos setenta anos e se tornou como uma mãe para mim também. Nós tínhamos um estudo bíblico pela manhã, que começou como algo voltado para minha equipe, mas para o qual comecei a convidar outras pessoas. De uma hora para outra, muitas mulheres começaram a vir para o estudo. A Sra. James era uma mulher sábia, e nada me acontecia sem que ela deixasse de notar. Quando a aula terminava, eu ficava muito satisfeito, muito contente pelo fato de todas aquelas mulheres estarem comparecendo. Eu dizia: "Puxa, o estudo bíblico foi ótimo hoje". E a Sra. James respondia: "Elas não estão vindo para estudar a Bíblia!". E eu perguntava: "Então por que elas vêm?". E ela: "Elas vêm aqui com vestidos curtos e justos. Estão vindo por sua causa!". Havíamos acabado de chegar à cidade e ainda estávamos aprendendo a trilhar nosso caminho. A cada lugar aonde íamos tentávamos iniciar uma sala de estudo bíblico. A Sra. James foi uma verdadeira mentora. Ela me ajudou a firmar meus valores. Aprendi muito sobre onde estabelecer limites. Aprendi a sabedoria de manter as portas abertas e de dispor de portas de vidro por onde as pessoas pudessem enxergar. Hoje, muitas pessoas não contam com esses tipos de mentores na vida delas. Temos de nutrir as pessoas. Temos de ir fundo na amizade. Temos de nos dispor a arriscar falar quando vemos o outro tomando a direção errada.

> A verdadeira alegria é transmitir o que você conhece e fazer amizade com jovens.

Quando penso na mentoria como um tipo de amizade, lembro-me de todos os professores pelo país afora que interagem com crianças todos os dias. Que grande oportunidade de proferir palavras de incentivo, amor e amizade na vida e no coração dos jovens!

Na década de 1920, uma disciplina de sociologia na Universidade Johns Hopkins realizou um estudo com crianças em bairros pobres de Baltimore. Os pesquisadores identificaram duzentas crianças que pareciam fadadas a passar anos na prisão. Após 25 anos, foi realizado outro estudo para saber o que havia acontecido com aquelas crianças. Surpreendentemente, apenas duas haviam sido encarceradas. À medida que tais homens e mulheres eram entrevistados, surgia com frequência o nome de uma professora deles, a "Tia Hannah". Os sociólogos estavam corretos em suas previsões. De acordo com todos os indicativos, aquelas crianças se tornariam a ralé da sociedade; mas houve uma intervenção, a Tia Hannah, uma professora da escola fundamental que as amava.[6]

Todo professor no país tem a oportunidade e o privilégio de ser a "Tia Hannah" na vida das crianças que eles instruem. Basta um sorriso, uma palavra de incentivo, uma oferta de amizade e amor para mudar a direção de uma vida. Meu coração se parte diante do número de jovens de hoje que pensam que ninguém se importa com eles. Nós podemos mudar isso por meio da amizade.

Penso nos pais que já criaram seus filhos e agora podem ser mentores de casais jovens, e penso nos adultos jovens que podem ser irmãos e irmãs mais velhos de crianças que precisam de orientação. Esses são exemplos de amizade esperando para acontecer. Não há limite para as oportunidades que temos de ser mentores de outras pessoas e nos tornar seus amigos. O Sr. Buckley aprendera como ser um bom marido e criara doze filhos, então pôde transmitir esse conhecimento para mim. Espero que aqueles de nós que são cidadãos seniores possam entender que temos muito a transmitir para a próxima geração. Poderíamos passar muito tempo fazendo coisas apenas para aproveitar a vida, como passear por cassinos e frequentar salões de beleza. Mas a verdadeira alegria é poder transmitir o que você sabe e fazer amizade com os jovens. O que você aprendeu que pode ser transmitido a alguém que precisa de mentoria e de um amigo?

A ideia de fazer amigos pode ser assustadora. Parece difícil. No próximo capítulo falaremos sobre alguns passos simples para fazer amizades profundas. Antes disso, porém, lembremos que todos nós temos o melhor amigo do mundo em Jesus. Não somos pessoas desprovidas de amigos. Temos um amigo em Jesus, e ele nos dá tudo de que necessitamos para superar quaisquer obstáculos — mesmo o obstáculo de nosso próprio medo — e reproduzir amizades por onde quer que for. Sei que isso é verdade porque ele tem demonstrado sua graça ao fazer isso na minha vida a todo momento.

*"Andar com um amigo no escuro
é melhor que andar sozinho no claro."*

Helen Keller

9

O desafio da amizade

É melhor serem dois que um, pois um ajuda o outro a alcançar o sucesso. Se um cair, o outro o ajuda a levantar-se. Mas quem cai sem ter quem o ajude está em sérios apuros. Da mesma forma, duas pessoas que se deitam juntas aquecem uma à outra. Mas como fazer para se aquecer sozinho? Sozinha, a pessoa corre o risco de ser atacada e vencida, mas duas pessoas juntas podem se defender melhor. Se houver três, melhor ainda, pois uma corda trançada com três fios não arrebenta facilmente. (Ec 4.9-12)

Essas palavras foram escritas por Salomão, que era conhecido como o homem mais sábio que já existiu. Ele parece dizer que amizade é uma necessidade crucial de cada ser humano. E o Senhor concordou. Desde o início ele disse: "Não é bom que o homem esteja sozinho". O anseio por amizade e de conexão visava nos conduzir uns aos outros. Acho que Deus nos presenteou com um profundo anseio de sermos amados, quase como um tipo de dor no coração. Eu não sei... talvez magoemos e odiemos os outros justamente por não tratarmos dessa dor. É uma necessidade profunda.

Essa é, de fato, a essência da vida. A vida que importa. A boa vida. Não se trata de dinheiro, fama ou posses. É a vida cheia de amigos. Amizade com Deus e com os outros. Amizades que superam barreiras étnicas, de gênero e de classe. Como seria o mundo se trocássemos o sonho americano pela amizade com Deus e com as pessoas? Como seria se o anseio em nosso coração fosse finalmente preenchido por meio de amizades?

Precisamos desesperadamente uns dos outros para que sejamos completamente humanos, refletindo totalmente o caráter de Deus. Mas não podemos refletir o caráter de Deus se não o conhecemos. Ele nos convida à amizade com ele em primeiro lugar. Ele é o amigo mais importante que teremos. Se você nunca o aceitou como Salvador e Amigo, convido-o a fazer esta oração agora mesmo:

> *Senhor, obrigado por me buscares e te revelares a mim como Salvador e Amigo. Obrigado por morreres na cruz para me salvar de meus pecados. Abro as portas do meu coração e te recebo como Salvador e Senhor. Por favor, toma controle de minha vida e mostra-me como viver sendo teu amigo neste mundo. Obrigado, pois eu jamais estarei sozinho.*

Se você fez essa prece, pode confiar que ele agora vive em seu coração e dirigirá sua vida. Conhecer esse Deus como Salvador e Amigo foi a resposta para o profundo anseio do meu coração. Oro para que seja assim com você também, e que você compartilhe com alguém o que lhe aconteceu. Então ore e peça que Deus o conduza a um pequeno grupo ou uma igreja onde você possa crescer em seu relacionamento com ele.

Cada um de nós que é amigo de Deus tem o privilégio e a responsabilidade de torná-lo conhecido e de fazer amizade com outros. Deus Pai, Deus Filho e Deus Espírito Santo são modelos dos aspectos essenciais da amizade para nós: buscar, ir fundo, perdoar, superar obstáculos, estar junto e frutificar. Vamos falar sobre como podemos pôr em prática cada uma dessas coisas.

AMIZADE É BUSCAR

Deus mirou em cada um de nós e nos buscou até que fôssemos capturados por seu amor. Há algo profundo nisso. Ele fixou seus olhos em nós. Não foi uma olhadela qualquer. As pessoas precisam enxergar refletidos em nossos olhos o valor e a dignidade que elas possuem. Perdemos inúmeras oportunidades quando passamos pelas pessoas e evitamos seus olhares. Esse é o primeiro passo. Devemos fazer pelo outro o que Deus fez por nós, e fazê-lo deliberadamente. Uma vez que entendemos lá no fundo o que Deus fez para nos buscar quando estávamos longe dele, somos motivados a falar aos outros a seu respeito. Nosso mundo está repleto de pessoas solitárias... e elas são de muitas cores. A solidão não discrimina as pessoas.

Cada dia nos oferece oportunidades para nos envolvermos em amor com outras pessoas a fim de atrai-las à amizade. Exige propósito e esforço. E exige oração. Precisamos que o Senhor nos abra os olhos para vermos a solidão que encobre o rosto daqueles que nos rodeiam. E precisamos que ele nos dê um coração que se importe e ofereça amizade. Para aqueles de nós que acham difícil dar o primeiro passo, é preciso que ele nos dê coragem e determinação. Podemos pedir essa coragem em oração e vê-lo trabalhar em nossa vida a fim de nos tornar mais abertos a amizades profundas.

E, então, precisamos agir. Preste atenção às pessoas que vão à sua igreja pela primeira vez. Não deixe de cumprimentá-las e faça que elas saibam aonde ir; mostre-lhes a mesa do café, se sua igreja tiver uma. Se eles tiverem filhos, encaminhe-os à salinha de brinquedos. Descubra se eles gostariam de um convite para almoçar. Apresente-lhes os ministérios de sua igreja, como os pequenos grupos ou os estudos bíblicos. Esses são ótimos lugares para iniciar relacionamentos e quebrar as barreiras que tantas vezes nos dividem, mesmo na igreja.

Chegue cedo às reuniões ou cultos e use o tempo para conversar com pessoas com quem você normalmente não conversaria. Planeje ficar após o fim da reunião para interagir com os demais. Sente-se com uma pessoa de idade e veja como pode ajudá-la. Disponibilize-se para ajudar uma mãe jovem com filhos. Incentive um garoto que esteja crescendo sem pai. Dê uma volta pelo bairro e converse com os jovens. Encoraje-os a permanecer na escola e ter bom desempenho. Pergunte o nome deles e lembre-se deles depois.

No final do dia, avalie como você interagiu com as pessoas que Deus lhe trouxe. Existem entre eles amigos potenciais por quem você pode começar a orar?

AMIZADE É IR FUNDO

Deus teve amizade face a face com Moisés. Teve amizade íntima com Abraão. Eles o conheceram porque ele lhes revelou seu coração e a si próprio. Todos dizem que é muito difícil para os homens fazerem isso, mais difícil para eles do que para as mulheres, mas temos de mudar essa visão. Temos de nos arriscar a ir mais fundo do que apenas dizer oi e tchau. Devemos ter a disposição de aprender sobre os outros e abrir o coração para eles.

Um estudo recente da Universidade Harvard descobriu que as pessoas realmente gostam de falar a respeito de si próprias. Falar sobre si mesmo estimula as mesmas áreas do cérebro que se acendem quando experimentam boa comida ou outros gatilhos prazerosos. As pessoas entram em uma "agitação neurológica" quando falam sobre si mesmas.[1] Outro estudo diz: "É por isso que passamos cerca de 40% de uma conversa falando sobre nós mesmos: a química de nosso cérebro nos induz a isso".[2] Se essas pesquisas estiverem corretas, então não deveria ser difícil iniciar novas amizades... basta fazer as pessoas falarem sobre si próprias. E escute atentamente o que elas dizem. Anote as ideias mais importantes e ore por isso. Na próxima vez que as encontrar, refira-se a algo que elas lhe contaram e diga que esteve orando por elas. Comece a compartilhar cada vez mais sua vida em cada interação com os outros.

Muitos de nós talvez se sintam como Shauna Niequist: "Passei a maior parte da minha vida e das minhas amizades ansiosa, com medo de que quando as pessoas se aproximassem demais, elas me abandonassem; temia que fosse questão de tempo até que descobrissem quem sou e fossem embora".[3] Esse medo é real e pode fazer que muitos de nós não vão fundo nas amizades. Eu o encorajo a se arriscar e abrir seu coração. Concentre-se mais em ser um amigo do que em encontrar um amigo. Seja um bom ouvinte e abra-se com sinceridade.

AMIZADE É PERDOAR

A amizade pode ser algo perturbador porque as pessoas podem nos machucar. A Oração do Senhor nos lembra de que devemos perdoar aos outros assim como Deus nos perdoa. As pessoas cometem erros, por isso se você escolher não perdoar toda vez que alguém o ofende, sua vida será muito solitária. Não dá para estar em um relacionamento e evitar ser machucado. Mas Deus nos dá o coração para perdoar, qualquer que seja a ofensa. O Espírito Santo, que vive em nós, nos mostra como ver nosso ofensor pelos olhos de Cristo e mostrar misericórdia a ele — assim como ele nos mostra misericórdia toda vez que o ofendemos com nossos pecados.

As Escrituras nos dizem que não devemos deixar o sol se pôr sobre nossa ira. Mas, em nossa presunção, sentamos e esperamos que o outro implore por perdão. Se eu digo algo que expressa meu arrependimento do jeito errado, alguns dos meus amigos podem dizer: "Ah, não fale assim! Você já superou isso!". Talvez eu de fato esteja precisando de ajuda, mas eles me elogiaram tanto que não há espaço para eu pedir ajuda. Lembro-os de que nenhum de nós é justo. Permanecemos firmes apenas na justiça de Jesus. E todos nós precisamos da ajuda de Deus para perdoar a nós mesmos e aos outros.

Não enxergamos nosso quebrantamento tão rapidamente quanto enxergamos o dos outros. Não vemos o que fizemos de errado quando nossas amizades se desfazem. Afastamo-nos de amizades que poderiam se tornar significativas e ricas porque nos recusamos a perdoar. Meu coração se entristece quando me lembro de que meu pai me deixou quando eu era pequeno. Acho que é por isso que não termino relacionamentos com facilidade agora, mesmo quando as pessoas tentam envenenar minha mente contra alguém porque não gostam daquela pessoa. Cedo em minha vida, quando eu sentia que alguém era ruim demais, eu a tornava uma "não pessoa", um "sapato velho", e ela deixava de existir para mim. Há alguns túmulos que eu gostaria de escavar e reabrir. Aprendi da maneira mais difícil que todo amigo em potencial pode se tornar um amigo melhor se eu não desistir da amizade.

Existe alguém a quem você precisa voltar e recuperar? Talvez um amigo que o machucou no passado possa se tornar um amigo melhor se você o perdoar e lhe der outra chance. Peça ao Senhor orientação sobre o que fazer... e obedeça.

AMIZADE É SUPERAR OBSTÁCULOS

Jesus nos ensinou como transpor obstáculos. Ele se fez vulnerável. Ele não condenava. E sempre afirmava a dignidade do outro. Devemos ser honestos quanto às barreiras que construímos. De quem você não se aproxima? De pessoas pobres ou pessoas ricas? De pessoas negras ou brancas? De pessoas instruídas ou sem instrução formal? De pessoas de outros partidos políticos? De cristãos ou ateus? Se você é amigo de Deus e o caráter de Cristo está sendo desenvolvido em seu coração, essas barreiras constituem um pecado. Devemos superar todas as barreiras, como Jesus fez. Devemos oferecer amizade e amor. Devemos torná-lo conhecido por meio de nossas ações.

Deus sempre mantém o relacionamento maior que o problema. É isso o que a amizade faz. Podemos ter amigos que estão do outro lado da cerca da política, mas somos capazes de manter essa amizade porque manteremos o relacionamento maior que a política. A maior parte de meus amigos fez amizade comigo devido a algum tipo de desacordo entre nós. Havia barreiras erigidas que precisavam ser superadas. Provavelmente não há nenhum tópico que provoque mais desacordo que o da reconciliação racial. Esse tem sido o trabalho da minha vida, e no meu caso essa questão forneceu oportunidades para discussão e negociação. Foi em meio a essas negociações que nos tornamos amigos. Eu digo: "Podemos ver as coisas de modo diferente, mas basicamente acreditamos nas mesmas coisas". E outra amizade se inicia.

> Deus sempre mantém o relacionamento maior que o problema. É isso o que a amizade faz.

Um membro da KKK e um homem negro podem se tornar amigos quando eles percebem que ambos querem a mesma coisa. Ambos querem que o mundo seja um lugar seguro para sua família, que a vida seja melhor para seus filhos. Se todos desejam as mesmas coisas, esses objetivos comuns podem servir de base para a amizade.

Podemos orar para que Deus abençoe aqueles de quem nos sentimos separados e para que o coração deles se abrande, assim como o nosso. Podemos orar por oportunidades de nos envolvermos com eles de novas formas a fim de que se desenvolva um novo espírito de amizade e fraternidade. Podemos orar para não desanimarmos se nossa primeira tentativa de conseguir isso não der certo. Todos precisaremos do Senhor para nos manter seguindo em frente e não desistir quando somos rejeitados e as coisas não saem como gostaríamos.

AMIZADE É ESTAR JUNTO

Jesus esteve com seus discípulos por mais de três anos antes de morrer na cruz. Ele comeu, dormiu e realizou toda a obra que veio realizar *com* eles. Depois de voltar ao céu, deixou o Espírito Santo para ficar conosco para sempre. Ele é nosso Amigo para sempre. Não podemos contornar o conceito de união quando falamos sobre amizade. Amizade é tempo que se passa junto. É encontrar-se em uma cafeteria uma vez por semana e depois levar a amizade a um nível mais profundo dividindo um jantar na casa um do outro. É ir a eventos esportivos juntos e encontrar espaço comum para edificar a amizade.

Quando encontro e ensino os jovens, sempre lhes pergunto: Do que você gosta em você mesmo? De início eles não querem responder, pois pode parecer que estão se gabando. Quando começam a responder, sabe o que eles normalmente dizem? É ajudar a alguém. É como eles respondem 99% das vezes. Gostam de saber que podem ajudar alguém. Que podem fazer alguém feliz. A maioria deles só precisa de alguém que passe tempo a seu lado e os ajude a canalizar essa paixão e energia. Precisamos passar tempo com eles. Eles podem mudar o mundo. Podem fazer a diferença.

Na Christian Community Development Association, levamos muito a sério a ideia de "estar junto". Acreditamos em realocação. Vamos aonde o problema está. Vivemos entre as pessoas de alguns dos bairros mais carentes do país. O objetivo é "tornarmo-nos um com nossos vizinhos até que não haja mais 'nós' e 'eles', apenas 'nós'".[4] Estar junto é um investimento de tempo e de coração.

AMIZADE É FRUTIFICAR

O Espírito Santo vem ao nosso coração vazio e começa a desenvolver lá dentro o caráter de Cristo. Onde havia ódio e intolerância ele semeia amor. Onde havia raiva e ressentimento ele semeia perdão e bondade. Ele nos torna melhores. Ele nos torna frutíferos. E esse é nosso desafio à medida que encontramos pessoas solitárias todos os dias — pessoas que estão imersas em ódio, raiva e amargura. Nossa oferta de amizade, de Cristo a eles pode transformar sua vida para sempre. Paulo lembrou os cristãos coríntios de que Deus os reconciliou consigo e lhes deu a tarefa de promover a paz com os outros (ver 2Co 5.18)

Todas as pessoas precisam da mesma coisa de que precisávamos antes de conhecer o Senhor: conhecer Jesus como Salvador e Amigo. Ele é a resposta para os anseios de nosso coração. Ele resolve o problema de nosso pecado e transforma nossa vida com seu amor e propósito. É nossa alegria e privilégio apresentá-lo a

> Esse tem sido meu maior privilégio: fazer mais amigos aonde quer que eu vá e ser enriquecido por amigos que têm me acompanhado durante os altos e baixos de minha jornada.

nossos amigos. Podemos orar e pedir ao Senhor que ofereça a oportunidade certa para isso. Às vezes a porta se abre após uma pessoa vivenciar uma experiência difícil. Às vezes o modo como lidamos com nossos problemas faz que nossos amigos perguntem como somos capazes de permanecer firmes e não desistir. Essas são oportunidades de lhes contar que Jesus faz a diferença em nossa vida. O apóstolo Pedro nos exorta: "E, se alguém lhes perguntar a respeito de sua esperança, estejam sempre preparados para explicá-la" (1Pe 3.15b).

À medida que passamos pelas pessoas em nosso cotidiano, podemos orar e pedir ao Senhor que nos mostre como alcançá-las para ele. Ele pode nos mostrar uma necessidade que podemos atender ou uma pergunta que podemos fazer, ou uma ajuda que podemos prestar. Esses podem ser os passos iniciais em direção à amizade.

No fundo do meu coração, acredito que é isso que o Senhor quer de nós: que paremos de correr atrás de mais coisas, mais dinheiro, mais daquilo que nunca nos satisfará e nos alistemos no Desafio da Amizade. Buscar... Ir fundo... Perdoar... Superar obstáculos... Estar junto... Frutificar. Esse tem sido meu maior privilégio: fazer mais amigos aonde quer que eu vá e ser enriquecido por amigos que têm me acompanhado durante os altos e baixos de minha jornada. Posso verdadeiramente concordar com estas palavras de Hubert H. Humphrey: "A maior dádiva da vida é a amizade, e eu a tenho recebido".[5]

Nesta seção falamos a respeito de amizade como mentoria. Considero um privilégio imerecido ser pai e poder caminhar junto de meus filhos da melhor maneira possível. Ser pai é o suficiente. Mas ser capaz de passar de pai para amigo dos filhos é a maior das dádivas. Meu filho, Phillip, compartilha esta última carta de amizade.

Vamos ouvir Phillip Perkins:

Meu pai,
MEU AMIGO

Meu pai e eu temos uma ligação especial desde que eu era pequeno. Quando eu só tinha três anos de idade, se ouvisse o barulho de seu carro eu corria escada abaixo tão rápido quanto podia, gritando: "Papai! Papai! Posso ir?". Ele sempre dizia que sim. Nunca dizia não. Ele me levava consigo, e éramos sempre nós dois — muito embora eu tivesse dois irmãos mais velhos e outros irmãos. Quando meus pais discutiam e discordavam, eu sempre ficava do lado dele. Se ele queria, eu também queria. Nosso relacionamento me ajudou a construir o tipo de pai que sou com meus dois filhos.

Eu estava ciente, conforme crescia, que ele não trabalhava apenas por seus filhos, mas por toda a comunidade. Então, muitas vezes ele não ficava conosco porque fazia um sacrifício pela comunidade e pelos negros no Mississipi. Ele acreditava na dignidade inerente a cada pessoa, por isso frequentamos escolas de brancos antes de a integração se tornar obrigatória. Ele tinha algo pelo que lutar.

Meu pai não gosta de falar sobre o que aconteceu quando foi brutalmente espancado na cadeia de Brandon após ser preso por lutar pelos direitos de nosso povo. Mas fui para sempre marcado pelo que vi e ouvi. Havia dois furgões de estudantes da Faculdade Tougaloo e da Universidade Estadual de Jackson que vinham para unir-se à marcha por justiça. Os furgões foram detidos e todos foram presos, exceto uma estudante branca da Filadélfia. Eu me lembro de estar sentado nos degraus escutando a conversa em nossa sala de estar quando o telefone tocou. A estudante estava ligando para meu pai. Estava histérica e implorava que ele fosse à cadeia imediatamente.

Alguns homens que estavam em casa foram com ele. Não havia como ele saber que estava indo na direção de tamanha tortura — mas acredito que ele teria ido de qualquer maneira. Fiquei sem vê-lo por uma semana... até ele sair da prisão. Quando o vi pela primeira vez após a surra, ele atravessava o gramado e eu brincava com uma bola de futebol. Ele olhou para mim e eu para ele. Ele estava desfigurado. Tinha inchaços na cabeça, que chegavam a sete centímetros de altura, rombudos como uma bola de tênis. O rosto todo machucado, e não dava para ver o branco de seus olhos. Estavam totalmente vermelhos. Injetados de sangue. Ele olhou para mim com um ar constrangido. Não parou de andar em nenhum momento. Era o olhar de um sobrevivente.

Apesar de muito fraco, estava determinado a conduzir outra marcha em defesa de nossos direitos. Quando iniciamos a marcha eu estava na segunda fila. Ouvíamos as senhoras que saíam de suas casas gritando: "Vão matar vocês!". Eu estava com muito medo. Quando viramos a esquina, pensei ter visto uma arma. Quis correr, mas ao chegar mais perto vi que era uma câmera de reportagem. Eles trouxeram uma picape. Papai subiu na picape e fez um discurso poderoso. Os policiais da tropa de choque estavam a postos, com armas sobre o peito. Meu pai apontou para eles e disse: "Eles tentaram me matar, mas o Senhor não estava pronto para mim ainda! Tudo o que queremos é o mesmo que eles querem. Queremos boas escolas para nossos filhos. Queremos bons empregos para poder cuidar de nossas famílias". Calafrios percorreram meu corpo quando cheguei mais perto.

Enquanto observava meu pai, a pergunta que me passou pela cabeça foi: *O que levaria um homem a fazer isso?* Então me perguntei: *Poderia eu fazer isso?* Realmente não sei dizer. Nunca sabemos como reagiremos até enfrentar uma situação assim. Eu nunca ficaria chateado de verdade com meu pai, em vista do que ele sacrificou por nós.

Ele marcou minha vida de muitas maneiras. Eu queria ser um ministro ou um político para ajudar a acertar as coisas que estão erradas em nosso país. Tornei-me ministro, mas não político. Aprendi muitas lições de vida com meu pai. Seja o melhor que puder. Nunca desista, jamais. Vejo muitas pessoas que são passivas. Não há desculpa para isso. Nada é tão difícil. Temos de ir até o fim. Nada vai nos impedir. Vejo isso em meu pai ainda hoje. Ele é imparável. É puxado em todas as direções ao mesmo tempo, mas continua em frente. É obstinado. É incrível.

Meu pai é meu amigo mais querido no mundo. Nossa amizade é mesmo notável. Estou com 62 anos e falo com ele quase todos os dias. Fico impressionado com o que Deus fez da vida dele. Muita coisa aconteceu desde os eventos na prisão em Brandon. Houve forças que tentaram tirá-lo do caminho naquela época, mas agora ele está com 89 anos. Ele recebeu dezesseis doutorados honorários e escreveu vários livros. Continua recebendo elogios e prêmios por seus incansáveis esforços para o desenvolvimento da comunidade cristã e continua pregando sobre a preocupação de Deus pelos pobres.

Quando meu pai voltou de Ohio uns dias atrás eu lhe disse:

"Não me importa quão tarde seja, quando você chegar me ligue e eu irei à sua casa para conversarmos". Ele estava muito cansado, mas fez isso; e nós conversamos até altas horas da noite.

Meu pai é meu herói, meu mentor, meu amigo. Ele deu de si mesmo, muitas vezes colocando a vida em grande risco pelo bem maior dos outros. Sua liderança destemida tem sido uma bênção para nossa família, para os meninos e meninas, homens e mulheres do condado de Simpson, no estado do Mississipi, e para o nosso grande país.

Obrigado, Pai, por ser um amigo.

Seu filho. Phillip.

PHILLIP PERKINS
Phillip é produtor e compositor;
vive em Jackson, Mississipi.

Conclusão

Mais que qualquer coisa, quero que este livro sirva como uma ferramenta de discipulado que nos ajude a pôr a vida cristã em prática. Deus nos chama a um discipulado para a vida toda, que sirva para iluminar o caminho dos que estão perdidos.

Este mundo pode ser solitário. E quando vejo o que está acontecendo hoje — toda divisão, conflito e ódio — meu coração se entristece. Erramos o caminho e estamos destruindo a base de nossa sociedade. As pessoas parecem estar escolhendo lados, e não são muitos os que estão dispostos a estender a mão e tentar consertar o que se quebrou. A amizade preenche a dor em nossa alma e desfaz as barreiras que nos separam uns dos outros.

Começamos esta jornada examinando a primeira pessoa a quem Deus chamou de "amigo", e perguntamos: "O que Abraão encontrou quando se encontrou com Deus?". Abraão encontrou o Deus da graça e descobriu que a fé nos leva até sua graça. Ele encontrou um Amigo. Moisés encontrou em Deus um Amigo que se revela a nós e quer que o conheçamos como santo. Davi encontrou um Amigo que perdoa até mesmo o pior dos pecadores.

Quando Jesus, o Deus-homem, irrompeu na história, finalmente fomos capazes de tocá-lo, de vê-lo, de andar com ele. O que os apóstolos encontraram em Cristo foi o que os heróis do Antigo Testamento encontraram em Deus: um Amigo. Adoro o modo como João escreveu sobre isso. A grande verdade do evangelho é que Jesus veio para nos salvar de nossos pecados e nos deu o prazer da comunhão de uns com os outros.

Esta é a mensagem que ouvimos dele e que agora lhes transmitimos: Deus é luz, e nele não há escuridão alguma. Portanto, se afirmamos que temos comunhão com ele mas vivemos na escuridão, mentimos e não praticamos a verdade. Mas, se vivemos na luz, como Deus está na luz, temos comunhão uns com os outros, e o sangue de Jesus, seu Filho, nos purifica de todo pecado.

1João 1.5-7

A alegria que cada um de nós tem, se somos amigos de Deus, é que podemos andar na luz de sua verdade e trazer muitas outras pessoas para ele.

A questão da alma humana é esta: Quem é Deus? E o que ele quer de mim? Acredito que Deus revela a si próprio e sua presença no momento da necessidade. Quando chegamos ao ponto extremo, ao ponto de necessidade, lá nós encontramos Deus. No Antigo Testamento as pessoas davam nomes para Deus com base no modo como ele respondeu em tempos de necessidade. Para Hagar ele era *El Roi*, "o Deus que me vê" (Gn 16.13). Desesperada, ela correu para escapar de Sara, mas Deus a buscou e fez que soubesse que ele a tinha visto e que ainda possuía um plano para ela. Lemos em Gênesis 22.14 como Abraão o chamou de *Javé-Jiré*, "Deus providenciará", após ele providenciar um carneiro amarrado a um arbusto para evitar que Abraão sacrificasse seu filho Isaque. Moisés o chamou de *Javé-Nissi*, "O Senhor é minha bandeira", pois quando os amalequitas atacaram o povo de Israel para destruí-lo Deus foi seu protetor (Êx 17.15). Um antigo pregador costumava dizer: "Ele é água em lugares secos, é médico no quarto dos enfermos, é advogado no tribunal, é pão em terra faminta". Ele é isso. Isso tudo e muito mais.

E o que Deus produz em nós é o que ele quer de nós. Deus é Espírito, e ele opera dentro de nós pelo Espírito Santo. Tenho ouvido as pessoas dizerem: "O Espírito falou comigo. Ele disse que quer que eu tenha uma casa maior. Quer que eu tenha um fantástico 'isto' e o melhor 'aquilo'". Não acredito que o Espírito fale desse modo. A meu ver, ele diz coisas como: "Vá trabalhar, arrume um emprego e compre suas próprias coisas". Quando o Espírito fala, ele nos diz algo que está em seus mandamentos. Algo sobre como utilizar os dons que ele nos deu. Algo sobre humildade. Se caminhamos com ele, estamos de joelhos. Nós nos humilhamos. Tiramos nossos sapatos porque entendemos que estamos em sua presença.

Ainda estou aprendendo sobre o tema da humildade. Não posso ter uma mente inflada. Mesmo quando estou procurando por Deus, é ele quem está fazendo isso. Eu me debato entre minha vontade e a vontade de Deus. "Posso andar contigo, Deus? Posso ansiar que tu te sentes comigo? Posso ficar contente por meditar a teu respeito noite e dia?"

Quando as pessoas me perguntam o que nós devemos fazer, digo que não há uma lista de coisas a cumprir, uma por uma. Trata-se de uma atitude do coração. É humildade, e não consigo chegar lá sozinho. Deus tem de me levar lá. A mulher com o problema de hemorragia, que atravessou a multidão tentando tocar a borda do manto de Jesus (ver Lc 8.40-47). Isso é humildade. O clamor do cego Bartimeu. É humildade. Deus escuta cada um desses débeis clamores. Seu coração está sintonizado com nossos débeis clamores, pois eles expressam nossa necessidade premente dele. Nossa oração deve estar alinhada com a oração de William Barclay:

Pai, dá-nos a humildade que percebe a própria ignorância, admite seus erros, reconhece sua necessidade, acolhe conselhos e aceita repreensões. Ajuda-nos a sempre orar em vez de criticar, a ter empatia em vez de condenar, a incentivar em vez de desanimar, a construir em vez de destruir, e a pensar no melhor das pessoas e não no pior.[1]

Esse é o segredo que os poderes das trevas querem manter escondido de nós. Eles tornaram tão forte o cheiro do dinheiro, das posses e do poder com o intuito justamente de nos distrair dessa verdade fundamental. O aroma da humildade que nos rodeia quando permitimos que ele aja em nós é o que atrai outras pessoas. E desse ponto de completa humildade nós estendemos nossas mãos aos outros e os acolhemos no círculo de amizade com Deus. Esse círculo está destinado a crescer à medida que ele nos utiliza para atrair as pessoas. O tamanho de nosso círculo é limitado apenas por nossa disposição de chamar os outros para ser acolhidos em sua presença.

Em minha mente, eu me vejo como o homem pobre que dividia seu pão áspero e cuidava da fornalha. Ele não queria nada mais que passar tempo com o xá de Abas diariamente. Ah, como eu anseio pelo meu tempo com ele todos os dias. Mas quero trazer outras pessoas a esse círculo de comunhão, de modo que elas possam ser curadas por seu abraço e libertadas por sua amizade. Em todos os meus anos de ensino — desejando, esperando e sonhando que Deus estaria presente conosco — há um senso de conexão com os amigos que não fomos nós que criamos. É obra de Deus.

Quando olho para minha vida pregressa, vejo Norman Nathan, Roy Rogers, Malcolm Street e Roland Hinz em meu círculo de amizades. Vejo também Kirt Lamb, Jack MacMillan

CONCLUSÃO

e Bob DeMoss. Vejo ainda Bill Hoehm e Howard Ahmanson e tantos outros que não daria para nomeá-los todos. Deus tem sido bom comigo, ampliando meu círculo de amigos. É um círculo que pode crescer a cada dia. Quero que meu círculo seja multicolorido. Quero que todas as etnias sob o céu estejam presentes nele. Quero pessoas que pratiquem todas as religiões conhecidas no mundo. Quero pessoas que representem cada classe conhecida da humanidade. Quero que Deus me use para trazê-los a seu círculo de amizade e amor. Nas palavras de uma antiga música *country*, que o círculo "seja inquebrável, Senhor. Há uma casa melhor esperando no céu, Senhor, sim, no céu".

Anseio por essa casa no céu. Minha mãe está lá me esperando. Ela ficou quase a minha vida inteira lá esperando por mim. Minha avó, minha primeira amiga, também está lá esperando. E estamos todos ansiosos pelo dia em que haverá novos céus e nova terra. O Deus que é nosso Amigo governará. E nós o adoraremos por toda a eternidade!

> Então vi um novo céu e uma nova terra, pois o primeiro céu e a primeira terra já não existiam, e o mar também não mais existia. E vi a cidade santa, a nova Jerusalém, que descia do céu, da parte de Deus, como uma noiva belamente vestida para seu marido.
>
> Ouvi uma forte voz que vinha do trono e dizia: "Vejam, o tabernáculo de Deus está no meio de seu povo! Deus habitará com eles, e eles serão seu povo. O próprio Deus estará com eles".
>
> Apocalipse 21.1-3

Finalmente chegaremos ao fim de nossa necessidade de Deus como portadores do pecado. O pecado não mais existirá. A primeira terra desaparecerá. Não haverá mais mares. Não haverá mais divisão. Haverá círculos de amigos unidos como um só, para adorar e louvar aquele que morreu e ressuscitou para providenciar ao pecador acesso ao Deus santo. Finalmente o veremos, em toda a sua glória — nós o veremos face a face, e a música de minha alma será:

> Sublime graça que alcançou
>   Um pobre como eu,
> Que a mim perdido e cego achou,
>   Salvou e a vista deu! [...]
>
> A Deus, então, adorarei
>   Ali, no céu de luz;
> E para sempre cantarei
>   Da graça de Jesus.[2]

Foi sua graça maravilhosa que me salvou de meus pecados e me deu amigos que me levantaram quando caí. E no final estaremos todos juntos — amigos de todas as cores, credos e classes — com os braços erguidos em louvor e ação de graças a Jesus. Todos os olhos estarão fixos nele. Ele, que veio viver entre nós. Ele, que morreu pelos nossos pecados. Ele, o Autor e Consumador de nossa fé. Ele, que tornou o céu possível para nós. E cada um de nós será capaz de dizer com grande alegria: *Ele me chama de amigo!*

Para pensar e trocar ideias

CAPÍTULO 1: O CÃO DE CAÇA DO CÉU

1. Aprendemos com Abraão que Deus nos busca a fim de estabelecer amizade e relacionamento. Você já sentiu Deus indo atrás de você, tanto antes quanto após sua conversão?
2. O Dr. Perkins teve dificuldades para acreditar que Deus poderia realmente ser seu amigo. Qual é sua visão de Deus? Como este capítulo impactou seu modo de vê-lo?
3. Deus faz promessas e as cumpre. Por que isso é importante? Qual é a promessa mais significativa para você? Explique.
4. Abraão abriu mão de tudo na busca por amizade com Deus. Você já abriu mão de tudo ou ainda se apega a coisas que interferem em sua amizade com Deus? O que está atrapalhando sua devoção total a ele?

CAPÍTULO 2: O DEUS ÍNTIMO E SANTO

1. O homem pobre nada mais queria a não ser partilhar seu coração com o xá de Abas — nenhuma dádiva se comparava a essa. Ela descreve sua atitude a respeito de seu tempo com Deus? Por que sim, ou por que não?
2. A história de Moisés nos permite ver como Deus agiu nos bastidores a fim de prepará-lo para seus propósitos. Como Deus dirigiu a sua vida para prepará-lo para o que ele o chamou a fazer?
3. O que significa para você o fato de que Deus quer que você o conheça? Como você caracterizaria seu conhecimento de

Deus neste momento? O que está motivado a fazer para conhecê-lo melhor?

CAPÍTULO 3: O DEUS DO PERDÃO

1. Davi disse que todo pecado é pecado contra Deus. Você concorda com isso? Por que sim, ou por que não?
2. Davi fez algumas coisas bem ruins: luxúria, adultério, falsidade, assassinato... e ainda assim Deus o perdoou. Como isso impacta você em relação aos pecados que comete? Como essa verdade serve de ponte para alcançar aqueles que precisam conhecer a Deus como amigo?
3. "Quando alguém nos machuca, devemos escrever na areia, onde os ventos do perdão podem apagar. Mas quando alguém nos faz algo de bom, devemos gravar na pedra, onde nenhum vento pode apagar." Em que sentido esse trecho reflete sua atitude e sua resposta ao tratamento que outros dispensam a você?

CAPÍTULO 4: O DEUS QUE VEIO A NÓS

1. O Dr. Perkins sugere que a amizade com Deus requer humildade, que fiquemos "abaixados". O que isso significa de modo bem prático para você quando aborda novos amigos potenciais e interage com eles?
2. O que significa para você a realidade de que Jesus carregará nossos fardos? Como isso pode nos ajudar a nos conectar com os outros, especialmente aqueles que estão sofrendo?
3. Jesus foi exemplo de amizade intencional para nós. Ele compartilhou seu coração, empregou tempo e fez o sacrifício supremo por seus amigos. De quem você tem a intenção de ser amigo, e como essas amizades têm se desenvolvido ao longo do tempo?

CAPÍTULO 5: AMIGO DE PROSTITUTAS, LADRÕES E MARGINALIZADOS

1. Jesus fez amizades com os excluídos de seu tempo. Quem são as pessoas que fazem parte dessa categoria hoje? Quando você pensa em fazer amizade com eles, até que ponto o medo o domina? Como o temor a Deus pode afastar o medo das pessoas?
2. Você vive alienado dos incrédulos? O que pode mudar para manter contato estreito com eles regularmente?
3. Quão confortável você se sente para transpor barreiras raciais e de classe a fim de fazer amizades? Que aspectos dessas amizades potenciais o fazem sentir desconfortável? Há pessoas a quem o Espírito Santo o está incentivando a envidar mais esforços para alcançar?

CAPÍTULO 6: O DEUS QUE HABITA EM NÓS

1. O Dr. Perkins descreve o Espírito Santo nos puxando e diz que ele usa situações em nossa vida para nos fazer clamar a Deus e seguir sua vontade e seus propósitos. Quão consciente você está da direção do Espírito Santo para sua vida?
2. Um dos primeiros atos evidentes do Espírito Santo foi reconciliar os judeus com os gentios, os quais até então eram vistos como impuros. Como o Espírito o está direcionando para a reconciliação com pessoas diferentes de você?
3. O Espírito Santo veio ousadamente, e deu ousadia aos primeiros cristãos para falar de Jesus. Você já perdeu oportunidades de falar ousadamente a respeito dele? Compartilhe com alguém essa questão e orem juntos pedindo coragem para a próxima oportunidade.

CAPÍTULO 7: O FRUTO DA AMIZADE

1. Você tem consciência da batalha que está sendo travada entre os dois lobos em seu interior? Qual dos lobos você tem alimentado? Como o tem alimentado? Há mudanças que Deus gostaria que você fizesse?
2. Se somos conhecidos pelo fruto que produzimos, que tipo de fruto as pessoas que o conhecem veem melhor?
3. O fruto do Espírito é amor, alegria, paz, paciência, amabilidade, bondade, fidelidade, mansidão e domínio próprio. Qual dentre todos esses atributos faz mais falta em sua vida? Ore com mais alguém pedindo que o Espírito Santo desenvolva plenamente esse aspecto do caráter de Cristo em sua vida.

CAPÍTULO 8: SUPERANDO BARREIRAS

1. O Dr. Perkins sugere que a amizade sempre começa com a outra pessoa e um entendimento de quais são as necessidades dela. Como o serviço a pessoas fora de seu círculo habitual de amigos pode ajudá-lo a travar novas amizades?
2. O que a amizade do Dr. Perkins com Tommy Tarrants lhe ensina sobre transpor barreiras de cor? Qual a sua visão sobre amizades entre pessoas de cores diferentes?
3. O Dr. Perkins se beneficiou de grandes amigos que atuaram como mentores em sua vida. Eles tinham sabedoria sobre a vida e a derramaram sobre ele. Quais oportunidades de receber ou realizar mentoria o Espírito Santo tem dado a você?

CAPÍTULO 9: O DESAFIO DA AMIZADE

1. Como você definiria a boa vida? Quem são as pessoas que você conhece que necessitam disso? Ore por oportunidades de ajudá-las a conhecer e vivenciar Deus.

2. A amizade busca, vai fundo, perdoa, supera obstáculos, está junto e frutifica. Qual desses aspectos é o mais desafiador para você? Peça ao Espírito Santo que o aprimore nessa área.
3. Imagine que você fosse morrer hoje à noite e tivesse de refletir sobre seu círculo de amizades. Quantos deles conhecem Jesus como Salvador? Todos eles se parecem? São da mesma classe social? Como Jesus desejaria que seu círculo crescesse antes que você o encontrasse pessoalmente? Todo dia representa uma oportunidade para aumentar esse círculo até nosso último suspiro.

Para a vida: O Dr. Perkins mencionou muitos de seus amigos especiais ao longo deste livro. Faça uma lista de seu círculo de amigos.

- *Quantos deles são amigos de Jesus?* Ore regularmente para que cada um deles comece a superar barreiras a fim de fazer amizade com os outros e trazê-los para o círculo.
- *Quantos deles não são amigos de Jesus?* Ore regularmente para que eles encontrem a alegria e a paz de conhecê-lo como amigo.

Agradecimentos

Sou grato acima de tudo às pessoas que agraciaram minha vida sendo meus amigos. Decerto não há espaço suficiente neste livro para falar sobre todos eles, para dizer obrigado por investirem seu tempo e talentos que me nutriram a alma e fizeram de mim quem eu sou. Sou eternamente grato a:

Amigos que reservaram tempo para escrever contribuições especiais para este livro: Ken, Randy e Joan, Wayne, e meu filho Phillip. Obrigado por compartilharem histórias de nossa amizade.

Megan Carlier, Timothy Crouch e Avery Johnson. O entusiasmo de vocês por este projeto quase superou o meu! Sou muito grato a vocês.

A família da Moody Publishers. A você, Duane, por captar a visão no mesmo momento em que o Senhor a revelava a mim. E a você, Karen, por me ajudar a compartilhar uma mensagem tão chegada do meu coração. Esse foi outro trabalho de amor. Que o Senhor realize muito a partir do trabalho de nossas mãos.

Notas

Introdução

[1] E. J. Dionne, Jr., "Is America Getting Lonelier?", *Washington Post*, 6 de ago. de 2017, <https://www.washingtonpost.com/opinions/is-america-getting-lonelier/2017/08/06/411522a6-7933-11e7-8f39-eeb7d3a2d304_story.html>. [Todos os acessos em 12 de ago. de 2021.]

[2] Natasha Bach, "'One of the Greatest Public Health Challenges of Our Time.' The U.K. Just Rolled Out Its Plan for Fighting Loneliness", *Fortune Magazine*, 15 de out. de 2018, <http://fortune.com/2018/10/15/uk-government-loneliness-strategy/>.

[3] Ibid.

[4] David Frank, "1 in 3 US Adults are Lonely, Survey Shows", *AARP*, 6 de set. de 2018, <https://www.aarp.org/home-family/friends-family/info-2018/loneliness-survey.html>.

[5] George Will, "How Do We Heal the Epidemic of Loneliness?", *WashingtonPost*, 14 de out. de 2018, <https://tylerpaper.com/opinion/columnists/how-do-we-heal-the-epidemic-ofloneliness/article_c03d52c6-cd90-11e8-8eb2-bb29b7a6f3f6.html>.

[6] J. Langford, Friendship, D. Mangum, D. R. Brown, R. Klippenstein, e R. Hurst (eds.), *Lexham Theological Wordbook* (Bellingham, WA: Lexham Press, 2014).

[7] Galen C. Dalrymple, "The Meaning of Friend", *Daybreak Devotions.com*, 28 de abr. de 2015, <https://daybreaksdevotions.wordpress.com/2015/04/28/daybreaks-for-42815-the-meaning-of-friend/>.

[8] James Weldon Johnson, "The Creation", *Poets.org*, 1945, <https://poets.org/poem/creation>.

[9] Bill Thrasher, *Living the Life God Has Planned* (Chicago: Moody, 2001), p. 18-19.

[10] Megan Carlier, Timothy Crouch, Avery Johnson, notas do grupo de estudo: "He Called Me Friend: Rascunho da Introdução", 15 de mar. de 2019.

Capítulo 1

[1] Melissa Harris, "Executive Profile: Martin Nesbitt, the first friend", *Chicago Tribune*, 21 de jan. de 2013, <https://www.chicagotribune.com/business/ct-xpm-2013-01-21-ct-biz-0121-executive-profile-nesbitt-20130121-story.html>.

[2] John Perkins e Wayne Gordon, *Leadership Revolution* (Ventura, CA: Regal Books, 2012), p. 183.
[3] Russell Carter, "Firme nas promessas", em tradução anônima, *Cantor Cristão*, nº 154.
[4] Roger Rosenblatt, "John Glenn: A Realm Where Age Doesn't Count", *Time*, 17 de ago. de 1998.
[5] "How old was Isaac when Abraham almost sacrificed him?", *Got Questions*, <https://www.gotquestions.org/how-old-was-Isaac.html>.
[6] A. W. Tozer, *Three Spiritual Classics in One Volume* (Chicago: Moody, 2018), p. 356.
[7] Ruth Gledhill, "'I Miss My father, But He Gave His Life for Christ': Daughter of Murdered Missionary Jim Elliot Speaks Out", *Christianity Today*, 23 de fev. de 2017, <https://www.christiantoday.com/article/i-miss-my-father-but-he-gave-his-life-for-christ-daughter-of-murdered-christian-missionary-speaks-out/104967.htm>.
[8] Stephen E. Berk, *A Time to Heal: John Perkins, Community Development and Racial Reconciliation* (Grand Rapids, MI: Baker Books, 1997), p. 93.
[9] Tozer, *Three Spiritual Classics in One Volume*, p. 228.

Capítulo 2
[1] A. Naismith em Paul Lee Tan, "Signs of the Times", *Encyclopedia of 7700 Illustrations* (Garland, TX: Bible Communications, Inc., 1996), p. 904.
[2] Se quiser saber mais sobre José, o bisneto de Abraão, e como os israelitas foram parar no Egito, consulte Gênesis 37; 39—48; 50.
[3] "Ordinary People", composta por James Cleveland, 1978.
[4] Bob Smietana, "LifeWay Research: Americans are Fond of the Bible, Don't Actually Read It", LifeWay Research, 25 de abr. de 2017, <https://lifewayresearch.com/2017/04/25/lifeway-research-americans-are-fond-of-the-bible-dont-actually-read-it/>
[5] Reginald Heber, "Santo", em versão de João Gomes da Rocha, *Cantor Cristão*, nº 9.
[6] A. T. Pierson, "The Eagle", em Joseph S. Exell, *The Biblical Illustrator* (Grand Rapids: Baker Publishing Group, 1978), p. 1905-09.
[7] Colin Powell Quotes, Good Reads, <https://www.goodreads.com/quotes/310930-the-less-you-associate-with-some-people-the-more-your-life-will-improve>.
[8] Você pode ler sobre esse evento especial em <http://oneracemovement.com/onerace-stone-mountain/> e em <https://stream.org/stone-mountain-one-race-christian-unity/>.
[9] Phillip Perkins, "He Calls Me Friend", copyright © 2019.

Capítulo 3

[1] "Having a Best Friend", Sermon Central, <https://www.sermoncentral.com/sermon-illustrations/11937/two-friends-were-walking-through-the-desert-by-johanna-radelfinger>.

[2] Andraé Crouch, "Take Me Back", copyright ©1973 Bud John Songs (ASCAP) (adm. at CapitolCMGPublishing.com). Todos os direitos reservados. Uso autorizado.

[3] William Barclay, *The Gospel of Luke*, citado em Charles Swindoll, *The Tale of the Tardy Oxcart and 1501 Other Stories: "Forgiveness"* (Nashville, TN: Word Publishing, 1998), p. 216-17.

[4] Henri Nouwen, "Receiving Forgiveness", Henri Nouwen Society, *Daily E-Meditation*, 25 de jan. de 2019, <https://henrinouwen.org/meditation/receiving-forgiveness/>.

[5] Bruce Larson, *Setting Men Free*, citado em Swindoll, *The Tale of the Tardy Oxcart*, p. 214.

Capítulo 4

[1] Paul Harvey, "Incarnation", em Swindoll, *The Tale of the Tardy Oxcart*, p. 294-95.

[2] Andrew Murray, "Humility is", citado em Paul Tan, *Encyclopedia of 7700 Illustrations* (Pittsburgh: Assurance Publishers, 1990), p. 2304.

[3] Tony Evans, *Tony Evans' Book of Illustrations* (Chicago: Moody, 2009), p. 158.

[4] Joseph M. Scriven, "O Grande Amigo", em versão de Catarina K. Taylor, *Cantor Cristão*, nº 155.

[5] John Perkins e Wayne Gordon, *Leadership Revolution* (Ventura, CA: Regal Publishing, 2012), p. 64.

[6] John Perkins, *One Blood: Parting Words to the Church on Race and Love* (Chicago: Moody Publishers, 2018), p. 164-65.

[7] Don Richardson, "Peace Child", citado em Tan, *Encyclopedia of 7700 Illustrations*, p. 1185.

[8] George C. Hugg, Johnson Oatman Jr., "Amigo incomparável", em versão de Albert Lafayette Dunstan, *Cantor Cristão*, nº 81.

Capítulo 5

[1] Kimi Harris, "Jesus Befriended Prostitutes. So This Victorian-Era Woman Did Too", *Christianity Today: Christian History*, 15 de jul. de 2018, <https://www.christianitytoday.com/history/2018/july/josephine-butler-victorian-advocate-for-prostitutes-history.html>.

[2] Perkins e Gordon, *Leadership Revolution*, p. 45.

[3] Tim Keller, *post* no Twitter, 10 de dez. de 2018, 9:37 p.m., <https://twitter.com/timkellernyc/status/1072274184867377153?lang=en>.

Capítulo 6

[1] Illustrations Unlimited: "He Felt God Tugging on His Heart", *Ministry 127*, <http://ministry127.com/resources/illustration/he-felt-god-tugging-on-his-heart>.
[2] Millard J. Erickson, *Christian Theology* (Grand Rapids: Baker Academic, 1998), p. 771.
[3] James Merritt e John P. Jewell, "Spiritual Thirst", *Bible Center*, <https://www.biblecenter.com/sermons/spiritualthirst.htm>.
[4] Sarah Eekhoff Zylstra, "The Final Call of John Perkins", *The Gospel Coalition*, 2 de abr. de 2018, <https://www.thegospelcoalition.org/article/final-charge-john-m-perkins/>.
[5] Erwin Lutzer, "God Owns Our Tongues", *Moody Church Media*, 2005, <https://www.moodymedia.org/articles/god-owns-our-tongues/>. Acesso em: 16 de jul. de 2020.
[6] Mark Galli e Ted Olsen (eds.), "Polycarp: Aged Bishop of Smyrna", *131 Christians Everyone Should Know* (Nashville, TN: Broadman & Holman, 2000), p. 360.
[7] Henry Maxwell Wright, "Nunca sozinho", *Cantor Cristão*, nº 362.

Capítulo 7

[1] Jamie Buckingham, *Power for Living*, 1999, <http://www.sermonillustrations.com/a-z/f/father.htm>.
[2] Wayne Parker, "Statistics on Fatherless Children in America", LiveAbout, disponível em: <https://www.liveabout.com/fatherless-children-in-america-statistics-1270392>.
[3] Daniel Henderson, *The Deeper Life: Satisfying the 8 Vital Longings of Your Soul* (Minneapolis: Bethany House, 2014), p. 37.
[4] Kali Hawlk, "Do You Feed the Good Wolf or the Bad Wolf?", *Huffington Post*, 27 de ago de 2015, <https://www.huffingtonpost.com/kali-hawlk/do-you-feed-the-good-wolf_b_8048124.html>.
[5] Walter A. Elwell, "Peace", em *Baker Encyclopedia of the Bible*, vol. 2, ed. Walter A. Elwell (Grand Rapids, MI: Baker, 1988), p. 1634.
[6] William Gurnall, *Daily Readings from The Christian in Complete Armour* (Chicago: Moody, 1994), entrada em 11 de set., "Division Among Brethren".
[7] "pistis: faith, faithfulness", *Strong's Concordance*, Bible Hub, <https://biblehub.com/greek/4102.htm>.
[8] J. Oswald Sanders, *Spiritual Leadership* (Chicago: Moody, 2017), p. 74. [No Brasil, *Liderança espiritual*. São Paulo: Mundo Cristão, 1985.]
[9] "Self-control (*egkrateia*)", *Strong's Concordance*, Bible Hub, <https://biblehub.com/greek/1466.htm>.
[10] Nathan Johnson, "Someone Stronger", 13 de nov. de 2009, Sermon Central, <https://www.sermoncentral.com/sermon-illustrations/74286/d-l-moody-illustrates-how-to-grow-by-sermoncentral>.

[11] Bill Bright, "The Steps to Being Filled with the Holy Spirit", Cru, <https://www.cru.org/us/en/train-and-grow/transferable-concepts/be-filled-with-the-holy-spirit.7.html>.
[12] Craig Brian Larson, *750 Engaging Illustrations for Preachers, Teachers, and Writers* (Grand Rapids, MI: Baker Publishing, 2002).

Capítulo 8
[1] "Project Empathy Works to Combat Homelessness with Humanity, Personal Touch", *Fox 13*, 6 de ago. de 2018, <https://fox13now.com/2018/08/06/project-empathy-works-to-combat-homelessness-with-humanity-personal-touch/>.
[2] "CCDA Philosophy", Christian Community Development Association, <https://ccda.org/about/philosophy/>.
[3] Jerry Mitchell, *The Preacher and the Klansman* (Jackson, MS: The Clarion Ledger, 1999), p. 53.
[4] Idem.
[5] John Perkins, Thomas A. Tarrants III, *He's My Brother: Former Racial Foes Offer Strategy for Reconciliation* (Grand Rapids, MI: Baker, 1994).
[6] G. C. Jones, *1000 Illustrations for Preaching and Teaching* (Nashville: Broadman & Holman Publishers, 1986), p. 186.

Capítulo 9
[1] Samantha Boardman, M.D., "Why We Love Talking About Ourselves", *Psychology Today*, 7 de mar. de 2017, <https://www.psychologytoday.com/us/blog/positive-prescription/201703/why-we-love-talking-about-ourselves>.
[2] Belinda Luscombe, "Why We Talk about Ourselves: The Brain Likes It", *Time*, <http://healthland.time.com/2012/05/08/why-we-overshare-the-brain-likes-it/>.
[3] Shauna Niequist, *Bittersweet: Thoughts on Change, Grace, and Learning the Hard Way* (Grand Rapids, MI: Zondervan, 2010), p. 32.
[4] "About", Christian Community Development Association, <https://ccda.org/about/>.
[5] Hubert H. Humphrey, *Wit & Wisdom of Hubert H. Humphrey* (Oaks, PA: Partners Press, 1984).

Conclusão
[1] Kurt Bjorklund, *Prayers for Today* (Chicago: Moody, 2011), p. 65.
[2] John Newton, "Sublime graça", em versão de Luiz Soares, *Hinos e Cânticos*, nº 14.

Compartilhe suas impressões de leitura,
mencionando o título da obra, pelo e-mail
opiniao-do-leitor@mundocristao.com.br
ou por nossas redes sociais

Esta obra foi composta com tipografia Adobe Caslon Pro e Europa
e impressa em papel Pólen Soft 70 g/m² na gráfica Imprensa da Fé